TOBIRA
BEGINNING
JAPANESE

初 級 日 本 語

とびら

Ⅰ

ワークブック❷

たんご｜ぶんぽう｜きく

WORKBOOK 2
Vocabulary | Grammar | Listening

[著者] 岡まゆみ　　近藤純子　　榊原芳美　　西村裕代　　[監修] 筒井通雄
Mayumi Oka　　Junko Kondo　　Yoshimi Sakakibara　　Hiroyo Nishimura　　Michio Tsutsui

Kurosio Publishers

はじめに

本書は『日本語初級とびらI』（以下、本冊）で学ぶ単語・表現・文法を練習・強化するとともに、それらを使って日本語の「文を作る力」と「聞く力」を身につけるためのワークブックです。本書では、まず単語練習で語彙の定着を図り、その上で本冊の各課の「できるリスト」に基づいた文法練習をし、その後、総合的なまとめ練習に進みます。最後に、学んだことの総仕上げとして、聞く練習を行います。本書の主な特徴は次の通りです。

- 様々な形式の練習で、日本語の運用力を伸ばすことができる。

- 単語の練習は豊富なイラストやコンテキストと結びつけて、単語や助詞の練習ができる。

- 文法の練習は「できるリスト」の項目ごとに、文法項目別・難易度順に並んでおり、活用や接続形・意味・使い方を段階的に身につけることができる。

- 聞く練習は各課で新しく導入された単語や文法項目を中心に、多種多様な形式で聴解力を身につけることができる。

- 各練習問題は授業内での使用、宿題や小テスト、自習用の練習など、目的や学習状況に応じて様々な使い方ができる。

- 学習者が本書の練習問題を宿題として提出する方法は複数あり、各授業形態に合わせて対応できる。

- 二色刷りで紙面が見やすく、イラストも豊富にあって、楽しく勉強できる。

本書を『とびらIワークブック1－ひらがな・カタカナ、かんじ、よむ、かく』と併せて活用することで、本冊の内容をより効果的に習得することができます。学習者が間違ってしまったところは、本冊の単語ページや文法解説を見直して、なぜ間違ったかを確認するよう促してください。

本書は、平川ワイター永子さんの緻密で行き届いた校閲・校正作業と的確な助言や提案なくしては、今日の完成に漕ぎ着けることはできませんでした。6番目の著者と言っても過言ではないほどです。また、ロビン・グリフィンさんにはいつも迅速、適切に英語校正・翻訳をしていただきました。お二人のご協力に深く感謝いたします。

最後に、くろしお出版編集部の市川麻里子さんと金髙浩子さんには、本書の制作全般にわたって大変お世話になりました。お二人とも過酷なスケジュールの中、本書編集のために日々奮闘・尽力してくださったこと、感謝の念に耐えません。お二人の優れた編集のおかげで、学習者が楽しみながら基礎から応用まで学べる日本語練習教材を完成することができました。ここに改めてお礼申し上げます。

2023年6月

著者一同

CONTENTS

How to use this workbook
このワークブックの使い方

The following is an overview of the organization and contents of this workbook.

このワークブックは次のような構成と内容になっています。

■ Structure of each lesson

たんご・じょしのれんしゅう
Vocabulary/Particle practice ぶんぽうのれんしゅう
Grammar practice きくれんしゅう
Listening practice

■ 各課の構成

■ Vocabulary practice

"Vocabulary practice" sections include exercises for memorizing new vocabulary words introduced in each lesson, with particular emphasis on meaning and spelling. Exercises range from providing the words for given pictures, as well as those for matching, grouping, providing antonyms, sorting, filling in blanks, and creating word maps. Rather than learning vocabulary through rote memorization, these exercises are designed to pair these new terms with visual aids, related terms, categories, definitions, and context to learn vocabulary faster and more effectively.

These exercises can be used as a tool for self-study, or to introduce and review new vocabulary words in class.

■ 単語の練習

「たんごのれんしゅう」は各課の新出単語を覚える練習で、単語の意味と表記を身につけることに重点を置いています。問題にはイラストが示す単語を正確に書く練習をはじめ、単語のマッチング、グループ分け、対義語、並び替え、穴埋め、語彙マップの作成などがあります。単語だけを機械的に覚えるのではなく、視覚情報、関連語彙、カテゴリ、定義、コンテキストなどと関連付けて覚えることで単語の定着を図り、効果的に学習することができます。

自習や予習のほか、授業で単語の導入や確認をする際にも活用できます。

■ Particle practice

"Particle practice" sections include fill-in-the-blank exercises for pairing particles with newly learned verbs and adjectives. As Japanese learners often struggle with the use of individual particles, these sections focus on strategies to memorize particles together with verbs and adjectives as a set. Doing so helps learners solidify their particle use and avoid common mistakes.

■ 助詞の練習

「じょしのれんしゅう」は各課の新出動詞・形容詞と一緒に使う助詞の穴埋め問題です。学習者が間違えやすい「助詞＋動詞・形容詞」をセットにして意識的に学習することで、助詞の定着を図り、誤用を防ぐことを狙っています。

■ Grammar practice

"Grammar practice" sections include exercises that put into practice the key grammar points and phrases found in the *Dekiru* List of the main *TOBIRA* textbook for each lesson. Exercises are ordered from more basic problems to more practical application, with the following key listed at the start of each exercise:

■ 文法の練習

「ぶんぽうのれんしゅう」では、各課の「できるリスト」を達成するために必要な文法項目や表現を練習します。練習は基本練習から応用練習まで段階的に並んでおり、各練習項目の最初には次のように表示があります。

 ← Dekiru List number

← Exercise difficulty (★ Basic ～★★★ Advanced)
← Exercise number

G1 ← Grammar point used (as numbered in the Grammar sections of the main *TOBIRA* textbook)

 ←この文法を使う「できるリスト」の項目番号

←難易度を表す★（★簡単～★★★難しい）
←練習問題の通し番号

G1 ←練習する文法の本冊「ぶんぽう」セクションでの番号

Each "Grammar practice" section starts with basic exercises that cover things like word conjugation and conjunctive forms. Then, exercise difficulty increases to include sentence-level and paragraph-level applications, ultimately combining multiple grammar points. Each exercise includes many vocabulary terms from that lesson, allowing you to continue using these new terms in context. Exercises are presented in various forms, including sentence construction, dialogue completion, and short essays. These serve to solidify your proficiency with the given grammar points by encouraging you to consider when and how they are used in context. Finally, the "Comprehensive practice" section offers a space to review and practice using the grammar points introduced in that lesson.

Through this gradual progression from more basic to more advanced exercises, as well as those that focus on realistic situations and natural contexts, these exercises offer a more engaging and effortless means to put newly learned grammar points into practice.

■ Listening practice

"Listening practice" sections involve listening to sentences and dialogues that feature grammar and vocabulary mainly introduced in that lesson. Audio recordings for each exercise are indicated with 🔊 **LX-X** in the main *TOBIRA* textbook.

Each lesson includes the following listening exercises:

- Dictation: Listen to simple words or phrases about a variety of topics (school, time, dates, prices, etc.) and write down exactly what you hear.
- Prediction: Listen to short dialogues of 2-3 sentences, then choose the most appropriate response or statement that would follow given that context.
- Extraction: Listen to short dialogues or monologues, then take note of target information and keywords you understood.
- Comprehension: Listen to short dialogues or monologues, then answer questions that test your understanding of what you heard.
- Challenge (Lessons 6-10): Listen to a natural conversation at the beginner level. To better familiarize yourself with more natural speech patterns, these recordings may include things like untaught words and phrases, overlapping utterances, and speakers rephrasing their statements. Note that the goal is not to understand the entire dialogue, but to focus on and write down only the information you understood.

(For instructors: The Challenge Exercise audio files found on the *TOBIRA* website are provided as a sample. It is recommended that instructors prepare

文法練習では、まず活用や接続形などの基本練習をします。次に文単位、段落単位へと難易度が上がり、最後には複数の文法項目を一緒に使う練習をします。また、各練習には新出単語が多く含まれており、文脈の中で新しい単語を使って練習することができます。練習問題には文の作成、会話完成、短い作文など、様々な形式があり、「文法をどこでどう使うか」を考えながら練習することで文法の運用力を強化することができます。最後の「まとめのれんしゅう」はその課の文法項目を網羅した総合練習です。

やさしい練習から始めて徐々に難しいものへと進める、また現実に即した場面や自然な文脈の中で様々な形式の練習問題をすることで、無理なく楽しく実践に役に立つ練習ができます。

■ 聞く練習

「きくれんしゅう」では、主にその課の文法項目と単語を使った文や会話を聞く練習をします。練習問題の音声は 🔊 **LX-X** で示してあります。

各課には以下のような練習問題が含まれています。

- 書き取り問題：単語やフレーズ（教室用語、時間、値段、日付など）、単文を聞いて、正確に書き取る。
- 内容予測問題：2、3文の短い会話を聞き、会話の流れから、次に続く発話、あるいは、最も適した受け答えを考えて、選択する。
- 情報取り問題：短い会話やモノローグを聞き、求められている情報やキーワードを聞き取る。
- 内容理解問題：短い会話やモノローグを聞き、内容が理解できたかを確認する。
- チャレンジ問題（6課〜10課）：初級レベルの自然な会話の大意を掴む問題。自然な会話を聞く力を高めるため、この会話には未習の語彙や表現、通常の会話で見られる発話の重なり、言い直す場面などが含まれる。この練習では、全てを理解する必要はなく、聞き取れた部分のみ書き出す。

（先生方へ：とびらサイトにあるチャレンジ問題の音声はサンプルです。学習者の身近な話題や登場人物、地名などを使って、ご自分のクラスに適した会話を作成、録音されることをお勧めします。）

their own recordings relevant to topics, characters, or places with which their class would be familiar.)

■ Homework answer sheets and submission

Workbook pages can be submitted as homework assignments in the following ways:

- Write your answers in the workbook itself, then cut out the page along the dotted line. (Space for writing your name and class is included.)
- Download and print separate answer sheets from the "Workbook Area" of the *TOBIRA* website.
- Download, fill in, and submit online answer sheets using a tablet.

■ Answer keys

Instructors can access answer keys by registering through the Instructor Resources section on the *TOBIRA* website. All others can purchase an electronic version.

■ "Workbook Area" of the *TOBIRA* Website

The following resources can be downloaded from the "Workbook Area" of the *TOBIRA* website:

- Audio Recordings
- Answer Sheets
- Answer Keys (*Registration through the Instructor Resources section required. Otherwise available for purchase.)

■ 宿題の提出方法と解答用紙について

ワークブックの練習問題ページを宿題として提出するには次のような方法があります。

- 解答をワークブックの各ページ（名前・クラス記入欄あり）に書き込んで、切り取り線から切り取って提出する。
- 解答用紙を「とびら初級 WEB サイト」の「ワークブックエリア」からダウンロードして印刷し、解答を書き込んで提出する。
- ダウンロードした解答用紙にタブレット上で解答を書き込み、オンラインで提出する。

■ 解答について

解答は「とびら初級 WEB サイト」の「教師エリア」に登録するとご覧になれます。登録教師以外の方は別売の電子版をご覧ください。

■「とびら初級 WEB サイト」「ワークブックエリア」

「とびら初級 WEB サイト」の「ワークブックエリア」から以下のものがダウンロードできます。

- □ 音声データ
- □ 解答用紙
- □ 解答（※教師エリアの登録が必要／登録教師以外は別売り）

tobirabeginning.9640.jp/workbook/

Lesson 0

Opening the *tobira* ("door") to Japanese

Everyday expressions

1 **Kim-san's daily life in Japan**

Listen to the dialogues, then fill in __ with the corresponding letters that best depict the pictured situations as in the example. ((•)) **L0-1**

Ex. ◀)) Kim:　　　　Okaasan, ohayoo gozaimasu.
　　　　Host mother: A, Kim-san, ohayoo!

Ex. ___a___　　1) _____　　2) _____　　3) _____　　4) _____

5) _____　　6) _____　　7) _____　　8) _____　　9) _____

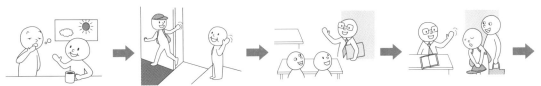

a. 7:00 AM at home　　b. 8:00 AM at home　　c. 9:00 AM at school　　d. 10:30 AM at school

e. 2:00 PM at gym　　　　f. 3:00 PM at gym　　　　g. 5:00 PM at home

h. 6:30 PM at home　　i. 9:00 PM near home　　j. 11:30 PM at home

2 **Set phrases used at school**

Listen to the dialogues, then fill in __ with the corresponding letters that best depict the pictured situations. ((•)) **L0-2**

Ex. ◀)) Hajimemashite. Doozo yoroshiku onegai shimasu.

Ex. ___a___　　1) _____　　2) _____　　3) _____　　4) _____　　5) _____

a. 　b. 　c. 　d. 　e. 　f.

3 Set phrases for other specific situations

Listen to the dialogues, then fill in __ with the corresponding letters that best depict the pictured situations. 🔊 L0-3

1) _____   2) _____   3) _____   4) _____

a.   b.   c.   d.

4 Classroom instructions

Listen to the Japanese expressions and circle their English meanings. 🔊 L0-4

Ex. (🔊) "Mite kudasai.")   Please [read / look / speak].

1) Please [read / look / write].   2) Please [say it / listen / speak].   3) Please [read / write / speak].

4) Please [listen / look / write].   5) Please [say it / listen / read].   6) Please [say it to / listen to / ask] Tanaka-san.

7) Please say it [one more time / louder / slowly].   8) Could you please say it [one more time / louder / slowly] ?

5 Useful phrases for class

① Listen to expressions a-e and write the letter for each expression in the corresponding bubble. 🔊 L0-5

Ex. とびらせんせい
1)
2)
3)
4)
5)

一人

② A is asking B how to say things in Japanese. Write down B's response in the space provided. You may use either hiragana or romanization. 🔊 L0-6

1) _____   2) _____

3) _____   4) _____

5) _____   6) _____

③ Listen to the Japanese phrases and choose their English meanings from the box. 🔊 L0-7

1) _____   2) _____   3) _____   4) _____   5) _____   6) _____

a. "I see."	b. "Thank you very much."	c. "See you tomorrow."
d. "Welcome back."	e. "I'm back."	f. "I understand; I got it."

Lesson 1

アイです。はじめまして。
Ai desu.　Hajimemashite.
I'm Ai. Nice to meet you.

たんごのれんしゅう | Vocabulary practice

1 Listen to the Japanese numbers and write them in the table as in the example.

Ex. 🔊 ろくじゅうさん
rokujuusan

Ex.	a.	b.	c.	d.	e.	f.	g.	h.	i.
63									

2 The following are international country codes for telephone numbers. Rewrite the numbers using hiragana or romanization in the space provided as in the example.

Ex. にほん = 81 : <u>はちいち, hachi ichi</u>
Nihon

1) インド = 91 : _____
Indo

2) フランス = 33 : _____
Furansu

3) マレーシア = 60 : _____
Mareeshia

4) オーストラリア = 61 : _____
Oosutoraria

5) ケニア (Kenya) = 254 : _____
Kenia

6) ウクライナ (Ukraine) = 380 : _____
Ukuraina

7) カンボジア (Cambodia) = 855 : _____
Kanbojia

8) ジャマイカ (Jamaica) = 876 : _____
Jamaika

9) イスラエル (Israel) = 972 : _____
Isuraeru

10) _____ = _____ : _____
[your country in Japanese or the common language in your class]　[country code]

3 Provide the answers to the following math questions as in the example. Write the numbers using Arabic numerals in ( ) and hiragana or romanization in __.

Ex. ろく (6) + はち (8) = <u>じゅうよん, juuyon</u> (14)
roku　　　　hachi

1) はちじゅうなな (　　) + じゅういち (　　) = _____ (　　)
hachijuunana　　　　　　　juuichi

2) ごじゅうよん (　　) + じゅうさん (　　) = _____ (　　)
gojuuyon　　　　　　　juusan

3) ななじゅうきゅう (　　) − よんじゅうなな (　　) = _____ (　　)
nanajuukyuu　　　　　　　yonjuunana

4) きゅうじゅうに (　　) − ごじゅうに (　　) = _____ (　　)
kyuujuuni　　　　　　　gojuuni

5) さんじゅうろく (　　) + にじゅう (　　) − ご (　　) = _____ (　　)
sanjuuroku　　　　　　nijuu　　　　　go

4 Listen to the Japanese words and match them with their hiragana. Then, provide the meanings of the words in English in ( ). 🔊 **L1-2**

Ex. •————————• いちねんせい　　（　　first-year student　　）
　　　　　　　　　ichinensee

a. •　　　　　　• にねんせい　　（　　　　　　　　　　）
　　　　　　　　　ninensee

b. •　　　　　　• さんねんせい　（　　　　　　　　　　）
　　　　　　　　　sannensee

c. •　　　　　　• よねんせい　　（　　　　　　　　　　）
　　　　　　　　　yonensee

d. •　　　　　　• いちばん　　　（　　　　　　　　　　）
　　　　　　　　　ichiban

e. •　　　　　　• よんばん　　　（　　　　　　　　　　）
　　　　　　　　　yonban

f. •　　　　　　• じゅうはっさい　（　　　　　　　　　）
　　　　　　　　　juuhassai

g. •　　　　　　• じゅうきゅうさい（　　　　　　　　　）
　　　　　　　　　juukyuusai

h. •　　　　　　• はたち　　　　（　　　　　　　　　　）
　　　　　　　　　hatachi

i. •　　　　　　• にじゅういっさい（　　　　　　　　　）
　　　　　　　　　nijuuissai

5 Choose the correct word between a and b.

Ex. [a. いちさい　　（b.）いっさい]　　　　1) [a. よんさい　　　　b. よさい]
　　　　ichisai　　　　　　issai　　　　　　　　　　yonsai　　　　　　　yosai

2) [a. じゅうしちさい　b. じゅうななさい]　　3) [a. じゅうくさい　b. じゅうきゅうさい]
　　　juushichisai　　　juunanasai　　　　　　　juukusai　　　　juukyuusai

4) [a. はたちにさい　　b. にじゅうにさい]　　5) [a. よねんせい　　b. よんねんせい]
　　　hatachinisai　　　nijuunisai　　　　　　　yonensee　　　　yonnensee

6 For boxes A and B, match the general terms on the left with their related terms on the right.

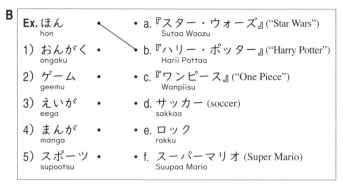

7 Mark the word which does NOT belong to each group with ✔.

1) (　) インド　　　　　（　) ちゅうごく　　　　　（　) かんこくじん　　　（　) アメリカ
　　　Indo　　　　　　　　Chuugoku　　　　　　　kankokujin　　　　　Amerika

2) (　) にほんご　　　　（　) えいご　　　　　　（　) フランスご　　　（　) こうがく
　　　nihongo　　　　　　eego　　　　　　　　　furansugo　　　　　koogaku

3) (　) にねんせい　　　（　) がくせい　　　　　（　) よねんせい　　　（　) いちねんせい
　　　ninensee　　　　　　gakusee　　　　　　　yonensee　　　　　ichinensee

4) (　) だいがくせい　　（　) だいがくいんせい　（　) りゅうがくせい　（　) せんせい
　　　daigakusee　　　　　daigakuinsee　　　　ryuugakusee　　　　sensee

5) (　) でんわ　　　　　（　) しゅくだい　　　　（　) べんきょう　　　（　) せんこう
　　　denwa　　　　　　　shukudai　　　　　　　benkyoo　　　　　senkoo

ぶんぽうのれんしゅう｜Grammar practice

Lesson **1**

You may use either hiragana or romanization for all answers in this section.

できるⅠ

★1 Describe each of the nouns pictured below by modifying it with another noun as in the example.

G3 Ex.

 Politics

1) **major** | I

2) **university** | Ai

3)

4) English Homework

5) friend Japanese [nationality]

Ex. ほん → せいじの　ほん
　　　 hon 　　 seeji no 　　 hon

1) _____

2) _____

3) _____

4) _____

5) _____

★2 Choose the correct phrase between a and b.

G3 Ex. [ⓐ ワンさんの　しゅっしん　　b. しゅっしんの　ワンさん]
　　　　　 Wan-san no 　　 shusshin 　　　　　 shusshin no 　　 Wan-san

1) [a. スマホの　わたし　　　b. わたしの　スマホ]
　　　 sumaho no 　 watashi 　　　 watashi no 　 sumaho

2) [a. すうがくの　ほん　　　b. ほんの　すうがく]
　　　 suugaku no 　 hon 　　　　 hon no 　 suugaku

3) [a. インドの　おんがく　　b. おんがくの　インド]
　　　 Indo no 　 ongaku 　　　　 ongaku no 　 Indo

4) [a. とうきょうだいがくの　せんせい　　b. せんせいの　とうきょうだいがく]
　　　 Tookyoo Daigaku no 　　 sensee 　　　　 sensee no 　 Tookyoo Daigaku

5) [a. シカゴの　アメリカ　　b. アメリカの　シカゴ]
　　　 Shikago no 　 Amerika 　　　 Amerika no 　 Shikago

★3 For each sentence, draw a box around the topic and a circle around the noun (or noun phrase) in the predicate. (Refer to the use of blue and pink boxes in #1 Step 2 on p.43 of *TOBIRA I*.)

G1,G2

Ex. わたしの　なまえ は ザワディ です。
　　　 Watashi no 　 namae wa 　 Zawadii desu.

1) わたしは　にほんだいがくの　りゅうがくせいです。
　 Watashi wa 　 Nihon Daigaku no 　 ryuugakusee desu.

2) わたしは　だいがくいんせいです。せんこうは　こうがくです。
　 Watashi wa 　 daigakuinsee desu. 　 Senkoo wa 　 koogaku desu.

3) わたしの　しゅっしんは　アフリカ (Africa) の　ケニア (Kenya) です。
　 Watashi no 　 shusshin wa 　 Afurika no 　 Kenia desu.

4 Nguyen-san and White-san are introducing themselves. Fill in ( ) with the appropriate particles. Use hiragana as much as possible.

G1-G3

1)

はじめまして。わたし Ex.(の) なまえ a.(　　) グエンです。
Hajimemashite.　Watashi　no　namae　　Guen desu.

ベトナム (Vietnam) じんです。
Betonamujin desu.

わたし b.(　　) ホーチミン (Ho Chi Min) だいがく c.(　　) さんねんせいです。
Watashi　　Hoochimin Daigaku　　sannensee desu.

せんこう d.(　　) にほんごです。どうぞ よろしく おねがいします。
Senkoo　　nihongo desu.　Doozo　yoroshiku　onegaishimasu.

Nguyen

2)

わたし a.(　　) なまえ b.(　　) ベン・ホワイトです。
Watashi　namae　　Ben Howaito desu.

とうきょうだいがく c.(　　) りゅうがくせいです。
Tookyoo Daigaku　ryuugakusee desu.

しゅっしん d.(　　) オーストラリア e.(　　) シドニー (Sydney) です。
Shusshin　Oosutoraria　　Shidonii desu.

せんこう f.(　　) コンピュータです。どうぞ よろしく おねがいします。
Senkoo　　conpyuutaa desu.　Doozo　yoroshiku　onegaishimasu.

White

5 Fill in __ with your own information to complete the self-introduction. (See #9 on p.46 of *TOBIRA I*.) Use English or romanization if you don't know how to spell words in Japanese.

G1-G3

1) はじめまして。わたしの _____。
Hajimemashite.　Watashi no

2) _____ だいがくの _____。
Daigaku no

3) せんこうは _____。
Senkoo wa

4) しゅっしんは _____ の _____。
Shusshin wa　　no

5) どうぞ _____。
Doozo

できるⅡ

6 Choose the correct form between a and b.

G2 Ex. アイさんは りゅうがくせい [a. です ⓑ.じゃないです]。
Ai-san wa　ryuugakusee　desu　ja nai desu

1) 『ワンピース』は にほんの アニメ [a. です b. じゃないです]。
Wanpiisu wa　Nihon no　anime　desu　ja nai desu

2) 「007」(James Bond の えいが) は フランスの えいが [a. です b. じゃないです]。
no　eega　wa　Furansu no　eega　desu　ja nai desu

3) シェークスピア (Shakespeare) は アメリカじん [a. です b. じゃないです]。
Sheekusupia wa　amerikajin　desu　ja nai desu

4) ちゅうごくの しゅと (capital) は ペキン (Beijing) [a. です b. じゃないです]。
Chuugoku no　shuto wa　Pekin　desu　ja nai desu

7 ★★
G4

Based on the information about Mori-sensee and Yamada-san, answer questions 1)-3), and make questions for 4)-6) that elicit the answers provided.

もりせんせい
Mori-sensee
University: Shinjuku University
Subject: Japanese
From: Hiroshima, Japan

やまださん
Yamada-san
Major: mathematics
School status: graduate school
From: Hawaii, USA

1) Q：もりせんせいの　だいがくは　しんじゅくだいがくですか。
　　Mori-sensee no　　daigaku wa　　Shinjuku Daigaku desu ka.

　　A：_____。

2) Q：もりせんせいは　えいごの　せんせいですか。[Answer in two sentences.]
　　Mori-sensee wa　eego no　sensee desu ka.

　　A：_____。

　　_____。

3) Q：もりせんせいの　しゅっしんは　にほんですか。
　　Mori-sensee no　shusshin wa　Nihon desu ka.

　　A：はい、　そうです。_____。
　　　　Hai,　soo desu.

4) Q：やまださん　_____。
　　Yamada-san

　　A：はい、　そうです。すうがくです。
　　　　Hai,　soo desu.　Suugaku desu.

5) Q：やまださん　_____。
　　Yamada-san

　　A：いいえ、だいがくの　せんせいじゃないです。だいがくいんせいです。
　　　　Iie,　daigaku no　sensee ja nai desu.　Daigakuinsee desu.

6) Q：やまださん　_____。
　　Yamada-san

　　A：いいえ、にほんじゃないです。アメリカです。
　　　　Iie,　Nihon ja nai desu.　Amerika desu.

★★★ **8**

Based on the information provided on the Japan House (JH) members (#3 on p.51 of *TOBIRA I*), write about what you and the JH members have in common.

Ex.1 アイさんは　だいがくの　にねんせいです。わたしも　だいがくの　にねんせいです。
　　　Ai-san wa　daigaku no　ninensee desu.　Watashi mo　daigaku no　ninensee desu.

Ex.2 マークさんの　せんこうは　すうがくじゃないです。わたしの　せんこうも　すうがくじゃないです。
　　　Maaku-san no　senkoo wa　suugaku ja nai desu.　Watashi no　senkoo mo　suugaku ja nai desu.

1) _____。

2) _____。

3) _____。

★ 9 Fill in ▢ with the most appropriate question word from なん/どこ/だれ to complete each sentence.

G4

1) おなまえは ▢ ですか。
Onamae wa　　　desu ka.

2) しゅっしんは ▢ ですか。
Shusshin wa　　　desu ka.

3) スミスさんの だいがくは ▢ ですか。
Sumisu-san no　daigaku wa　　desu ka.

4) スミスさんは ▢ ねんせいですか。
Sumisu-san wa　　　nensee desu ka.

5) スミスさんは ▢ さいですか。
Sumisu-san wa　　　sai desu ka.

6) せんこうは ▢ ですか。
Senkoo wa　　　desu ka.

7) にほんごの せんせいは ▢ ですか。
Nihongo no　sensee wa　　desu ka.

8) たなかさんの しごとは ▢ ですか。
Tanaka-san no　shigoto wa　　desu ka.

9) でんわばんごうは ▢ (ばん)ですか。
Denwa bangoo wa　　(ban) desu ka.

10) しゅみは ▢ ですか。
Shumi wa　　　desu ka.

★★ 10 Answer the questions based on your own information.

G4

1) だいがくは どこですか。
Daigaku wa　　doko desu ka.
_____。

2) りゅうがくせいですか。
Ryuugakusee desu ka.
_____。

3) なんねんせいですか。
Nannensee desu ka.
_____。

4) せんこうは なんですか。
Senkoo wa　　nan desu ka.
_____。

5) しゅっしんは どこですか。
Shusshin wa　　doko desu ka.
_____。

6) でんわばんごうは なん(ばん)ですか。 _____ : _____。
Denwa bangoo wa　　nan (ban) desu ka.　　[Arabic numerals]　[hiragana or romanization (You may use a non-existent number.)]

7) しゅみは ゲームですか。
Shumi wa　　geemu desu ka.
_____。

★★ 11 Make questions that elicit the answers provided.

G4

1) Q : _____。　A : たなかおさむです。
　　　　　　　　　　　　　　　　　　　　　　Tanaka Osamu desu.

2) Q : _____。　A : にほんの とうきょうです。
　　　　　　　　　　　　　　　　　　　　　　　Nihon no　　Tookyoo desu.

3) Q : _____。　A : エンジニア (engineer) です。
　　　　　　　　　　　　　　　　　　　　　　Enjinia desu.

4) Q : _____。　A : スポーツです。
　　　　　　　　　　　　　　　　　　　　　　Supootsu desu.

★★★ 12 How well do you know Japan? Answer the following questions.

G4

1) にほんの しゅと (capital) は きょうとですか。
Nihon no　shuto wa　　　Kyooto desu ka.

_____。

2) いま、にほんの しゅしょう (prime minister) は だれですか。
Ima,　Nihon no　shushoo wa　　　dare desu ka.

_____。

3) にほんの　おかね (money) は　ウォン (won) ですか。
Nihon no　okane wa　won desu ka.

_____。

4) "Thank you!" は　にほんごで　なんですか。
wa　nihongo de　nan desu ka.

_____。

5) にほんの　きゅうきゅう (emergency) の　でんわばんごうは　なん(ばん)ですか。
Nihon no　kyuukyuu no　denwa bangoo wa　nan (ban) desu ka.

_____。

できるⅢ

⭐⭐

⑬
G5,G6 Tanaka-san and Smith-san are friends. Based on their profiles, fill in (　) with the appropriate particles to describe their similarities and differences. Use hiragana as much as possible.

たなか
Tanaka

| University: Nagoya University |
| School status: Second year |
| Age: 19 years old |
| Major: Engineering |
| Hobby: Movies, Games |
| Favorite music: Anime songs |

| University: Nagoya University |
| School status: International student |
| Age: 19 years old |
| Major: Japanese, Politics |
| Hobby: Dance |
| Favorite music: K-POP, Anime songs |

スミス
Sumisu

1) たなかさん a.(　　　) なごやだいがく b.(　　　) がくせいです。
Tanaka-san　　　　　　　Nagoya Daigaku　　　　　　gakusee desu.

　スミスさん c.(　　　) なごやだいがく d.(　　　) がくせいです。
　Sumisu-san　　　　　　　Nagoya Daigaku　　　　　　gakusee desu.

2) たなかさん a.(　　　) スミスさん b.(　　　) なごやだいがく c.(　　　) がくせいです。
Tanaka-san　　　　　　　Sumisu-san　　　　　　Nagoya Daigaku　　　　　　gakusee desu.

3) たなかさん a.(　　　) だいがくいんせいじゃないです。
Tanaka-san　　　　　　　daigakuinsee ja nai desu.

　スミスさん b.(　　　) だいがくいんせいじゃないです。
　Sumisu-san　　　　　　　daigakuinsee ja nai desu.

4) たなかさん a.(　　　) じゅうきゅうさいです。スミスさん b.(　　　) じゅうきゅうさいです。
Tanaka-san　　　　　　　juukyuusai desu.　　　　Sumisu-san　　　　　juukyuusai desu.

5) たなかさん (　　　) スミスさんは　ともだちです。
Tanaka-san　　　　　　Sumisu-san wa　　tomodachi desu.

6) スミスさん a.(　　　) せんこうは　にほんご b.(　　　) せいじです。
Sumisu-san　　　　　　senkoo wa　nihongo　　　　　seeji desu.

7) たなかさん a.(　　　) しゅみは　えいが b.(　　　) ゲームです。
Tanaka-san　　　　　　shumi wa　eega　　　　　geemu desu.

8) スミスさん a.(　　　) K-POP b.(　　　) アニソンが　だいすきです。
Sumisu-san　　　　　　keepoppu　　　　anison ga　daisuki desu.

⭐⭐
⑭ Look at the pictures on pp.34-35 of *TOBIRA I* and share two that you like in the categories below.

Ex. countries:　わたしは　にほんと　マレーシアが　すきです。
Watashi wa　Nihon to　Mareeshia ga　suki desu.

1) school subjects: _____。

2) numbers: _____。

3) favorite things: _____。

まとめのれんしゅう｜Comprehensive practice

★★★
⑮ Complete the dialogue between you and Kim-san. Pay attention to the flow of the conversation.
[Tip] When writing questions, read Kim-san's answer first, then think of an appropriate question that elicits that response. (You may use English for the names of people, places, and other proper nouns if you don't know how to write them in Japanese.)

Part 1

You：1)_____。

Kim：はじめまして。　キムです。　どうぞ　よろしく　おねがいします。
　　　Hajimemashite.　　Kimu desu.　　Doozo　yoroshiku　onegaishimasu.

You：キムさんの　2)_____か。
　　　Kimu-san no　　　　　　　　　　　　　　　　　　　　　ka.

Kim：かんこくの　ソウル (Seoul) です。　○○さんの　しゅっしんは？
　　　Kankoku no　Souru desu.　　　　　　　　san no　shusshin wa?

You：3)_____。

Kim：そうですか。　○○さんは　だいがくせいですか。
　　　Soo desu ka.　　　　san wa　　daigakusee desu ka.

You：4)_____ 、5)_____。

　　　6)_____。
　　　　　　　　　[your school name and year (if applicable)]

Kim：7)_____。
　　　　　　"I see."

Part 2

Kim：あのう、　○○さんの　せんこうは　なんですか。
　　　Anoo,　　　san no　senkoo wa　nan desu ka.

You：8)_____。キムさんは　9)_____。
　　　　　　　　　　　　　　　　　　　　　　　Kimu-san wa

Kim：いいえ、　わたしは　だいがくせいじゃないです。　かいしゃいんです。
　　　Iie,　　watashi wa　daigakusee ja nai desu.　　Kaishain desu.

You：そうですか。キムさんの　10)_____。
　　　Soo desu ka.　Kimu-san no

Kim：スポーツです。　テニス (tennis) と　ジョギングが　すきです。　○○さんの　しゅみは
　　　Supootsu desu.　Tenisu to　　　　jogingu ga　suki desu.　　　san no　shumi wa

　　　なんですか。
　　　nan desu ka.

You：11)_____。12)_____。
　　　　　　　　　　　　　　　　　　　[List two things you like.]

Kim：そうですか。
　　　Soo desu ka.

きくれんしゅう | Listening practice

Lesson 1

You may use either hiragana or romanization for all answers in this section.

1 Listen to words often used in class. Write down each word you hear in the space provided. 🔊 L1-3

1) _____ 2) _____ 3) _____

4) _____ 5) _____

2 Listen to parts of some people's self-introductions. Write down their telephone numbers for 1)-3), and ages for 4) and 5) using Arabic numerals. 🔊 L1-4

1) _____ 2) _____ 3) _____

4) _____ さい 5) _____ さい
　　　　　　　sai　　　　　　　　　　　sai

3 Listen to the conversation between two students at a welcome party for international students. Each conversation will end with a beep, indicating a missing line. Then, listen to statements a, b, and c and circle the most appropriate statement for the missing line. 🔊 L1-5

ソウル：Seoul　テニス：tennis
Souru　　　　　tenisu

1) a　b　c　　2) a　b　c　　3) a　b　c

4 Listen to the conversation between Chen-san (female) and Yamamoto-san (male) at a reception for international students. Fill in the table below in English based on the information provided in their conversation. 🔊 L1-6

Name	Affiliation	School year	Age	Place of origin
Chen				
Yamamoto				

5 Listen to the conversation between Suzuki-san (male) and Lopez-san (female). They're meeting for the first time for language exchange. Circle the items that each person likes. 🔊 L1-7

こちらこそ：Me, too.
kochirakoso

Suzuki	tennis	basketball	music	manga	anime
Lopez	tennis	basketball	music	manga	anime

Lesson 2

しゅうまつになにをしますか。
What are you doing over the weekend?

たんごのれんしゅう | Vocabulary practice

1 Provide the time each clock shows in Japanese as in the example. Use hiragana only.

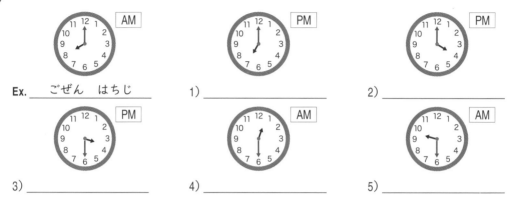

Ex. ____ごぜん　はちじ____

1) _____

2) _____

3) _____

4) _____

5) _____

2 The following is your schedule for this semester. Provide the day(s) of the week for each class/activity.

Mon	Tue	Wed	Thu	Fri	Sat	Sun
あいうえお 漢字 アイウエオ	あいうえお 漢字 アイウエオ	S(w)= ...	あいうえお 漢字 アイウエオ	あいうえお 漢字 アイウエオ	ダンス dansu	DAY OFF

Ex. ダンス
dansu
____どようび____

1) すうがく

_____

2) こうがく

_____

3) やすみ

_____

4) にほんご

_____　_____　_____　_____

3 Match the time expressions from the box with the points in time 1)-6).

a. あした	b. あさ	c. こんしゅう	d. ひる	e. よる	f. らいしゅう	g. しゅうまつ

きょう　　3)

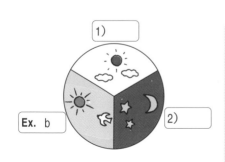

1)

Ex. b

2)

September

Mon	Tue	Wed	Thu	Fri	Sat	Sun
1	2	3	4	5	6	7
8	9	10	11	12	13	14
15	16	17	18	19	20	21
22	23	24	25	26	27	28
29	30					

4)

5)

6)

4 Match the places listed below with their corresponding pictures on the map.

Ex. レストラン ___j___   1) としょかん _____   2) しょくどう _____   3) がっこう _____
    resutoran

4) いえ／うち _____   5) りょう _____   6) カフェ _____   7) アパート _____
                                       kafe   apaato

8) ジム _____   9) へや _____   10) クラス _____
   jimu   kurasu

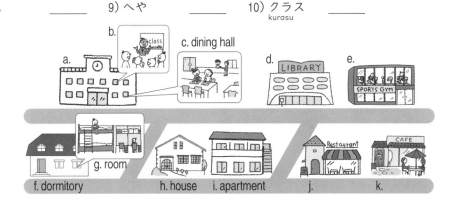

5 Match the verbs from the box with the groups of objects with which they are most commonly used.

ききます　たべます　のみます　みます　します　よみます　いきます　かえります

Ex. おんがく・うた   → _____ききます_____

1) えいが・テレビ・アニメ   → _____
           terebi   anime

2) あさごはん・ばんごはん   → _____

3) おちゃ・みず・コーヒー   → _____
                 koohii

4) ほん・まんが   → _____

5) がっこう・かいもの・コンサート → _____
                         konsaato

6) しゅくだい・ゲーム・スポーツ   → _____
              geemu   supootsu

7) いえ・りょう・へや・アパート   → _____
                        apaato

6 Describe how often Smith-san does the following activities based on the information provided. Fill in __ with the appropriate frequency expressions and verbs.

Ex. ___まいにち___ コーヒーを ___のみます___。 1) _____ おんがくを _____。
                  koohii

2) _____ えいがを _____。 3) _____ コンサートに _____。
                                                 konsaato

4) _____ ゲームを _____。 5) _____ まんがを _____。
                  geemu

ぶんぽうのれんしゅう | Grammar practice

できるⅠ

★1 Answer the questions in complete Japanese sentences, using the cues provided for 1) and 2), and your own information for 3)-5).

1) いま、なんじですか。　　　　7:30 AM _____。

2) にほんは　いま、なんじですか。　9:30 PM _____。

3) きょうは　なんようびですか。　　_____。

4) にほんごの　クラスは　なんようびですか。
kurasu
[List all days that apply.]
_____
_____。

5) がっこうの　やすみは　なんようびですか。　_____。

★2 Complete the sentences using the cues provided.

Ex. every week _____まいしゅう_____ ジムに　いきます。
jimu

1) next week _____ かいものに　いきます。

2) tomorrow _____ まんがを　かいます。

3) every day _____ おんがくを　ききます。

4) at 7:30 every day _____ おきます。

5) at 4:00 on Friday _____の_____ ジムに　いきます。
jimu

6) every Saturday _____ ジョギングします。
(lit. on Saturday every week) jogingu

★3 Fill in the table with the appropriately conjugated verbs in hiragana.

G1

	Dictionary form	Masu-form (non-past)	
		Affirmative	Negative
Ru-verbs	おきる	おきます	おきません
	ねる		
	たべる		
U-verbs	いく		
	かえる		
	かう		
	のむ		
Irregular verbs & suru-verb	くる		
	する		
	べんきょうする		

Class: _____ Name: _____

★4 G1 Describe what Tanaka-san and Yamada-san do based on the information in the table as in the example. Then, add your own information in the space provided.

Lesson 2

	Ex. morning	1) night	2) today	3) weekend パーティー paatii
たなか	〇	✕	〇	✕
やまだ	〇	✕	〇	✕

Ex. たなかさんは ＿＿＿＿あさ＿＿＿＿ パン (bread) を ＿＿＿＿たべます＿＿＿＿ 。
pan

やまださん（ も ） ＿＿＿あさ＿＿＿ パンを ＿＿＿＿たべます＿＿＿＿ 。
pan

わたし（ も ）＿あさ＿ パンを ＿たべます＿ 。or わたし（ は ）＿あさ＿ パンを ＿たべません＿ 。
pan   pan

1) たなかさんは ＿＿＿＿＿＿＿＿ コーヒーを ＿＿＿＿＿＿＿＿ 。
koohii

やまださん（ ）＿＿＿＿＿＿＿ コーヒーを ＿＿＿＿＿＿＿＿ 。
koohii

わたし（ ）＿＿＿＿＿＿＿ コーヒーを ＿＿＿＿＿＿＿＿ 。
koohii

2) たなかさんは ＿＿＿＿＿＿＿＿ すうがくを ＿＿＿＿＿＿＿＿ 。

やまださん（ ）＿＿＿＿＿＿＿ すうがくを ＿＿＿＿＿＿＿＿ 。

わたし（ ）＿＿＿＿＿＿＿ すうがくを ＿＿＿＿＿＿＿＿ 。

3) たなかさんは ＿＿＿＿＿＿＿＿ パーティーに ＿＿＿＿＿＿＿＿ 。
paatii

やまださん（ ）＿＿＿＿＿＿＿ パーティーに ＿＿＿＿＿＿＿＿ 。
paatii

わたし（ ）＿＿＿＿＿＿＿ パーティーに ＿＿＿＿＿＿＿＿ 。
paatii

★5 G2 Each pair of sentences below uses the same particle in ( ). Fill in ( ) with that particle and insert its function from the box in the space provided.

| a. Direct object marker | b. Time marker | c. Destination marker | d. Location marker |

Function

1) まいにち しちじ（ ）おきます。
げつようび（ ）アルバイトをします。
arubaito

2) あした パーティー（ ）いきます。
paatii
ごじごろ うち（ ）かえります。

3) らいしゅう えいが（ ）みます。
まいにち J-POP（ ）ききます。
jeepoppu

4) しょくどう（ ）あさごはんを たべます。
しゅうまつ へや（ ）ゲームを します。
geemu

21

6 **G2** Choose the appropriate verbs from the box to complete the sentences. Fill in __ with their *masu*-forms and ( ) with the appropriate particles.

たべる　　のむ　　よむ　　きく　　いく　　かえる　　する　　みる

Ex. ばんごはん（ を ）　<u>たべます</u>。　　1) おちゃ（　　）　_____。

2) しゅくだい（　　）　_____。　　3) としょかん（　　）　_____。

4) まんが（　　）　_____。　　5) おんがく（　　）　_____。

6) うち（　　）　_____。　　7) えいが（　　）　_____。

7 **G2** Fill in ( ) with the appropriate particles from と, を, に, で, or × if no particle is necessary. You may use the same particle more than once.

1) わたしは　あさ　しちじはん a.(　　)　だいがくの　しょくどう b.(　　)

いきます。しょくどう c.(　　)　シリアル (cereal) d.(　　)
shiriaru

バナナ (banana) e.(　　)　たべます。
banana

2) わたしは　ごじ a.(　　)ごろ　うち b.(　　)　かえります。それから、

うち c.(　　)　べんきょうします。にほんご d.(　　)　こうがくの

しゅくだい e.(　　)　します。

3) たなかさんは　わたしの　ともだちです。たなかさんは　きょう a.(　　)　わたしの

へや b.(　　)　きます。わたしの　へや c.(　　)　ゲーム d.(　　)　します。
geemu

8 **G2** Put the sentence fragments in the appropriate order according to the general word order of verb sentences. (See #2-5 on p.63 of *TOBIRA I*.)

Ex. a. たなかさんは　　b. いきます　　c. ジムに　　d. げつようびに
jimu

<u>　a　</u>　<u>　d　</u>　<u>　c　</u>　<u>　b　</u>。

1) a. ニュースを　　b. みます　　c. しちじごろ　　d. あさ　　e. アイさんは
nyuusu   Ai

____　____　____　____　____。

2) a. かえります　　b. アイさんは　　c. どようびに　　d. こんしゅうの　　e. アメリカに
Ai   Amerika

____　____　____　____　____。

3) a. すずきさんは　b. しょくどうで　c. ひるごはんを　d. かようびと　e. たべます　f. もくようびに

____　____　____　____　____　____。

4) a. にちようびに　b. ライブを　c. SNS で　d. します　e. まいしゅう　f. ジャンさんは
raibu   esuenuesu   Jan

____　____　____　____　____　____。　　live show

22

9 The following is your schedule for next week. Based on the schedule, describe the activities including the times and locations. Fill in ( ) with the appropriate particles.

G2

Lesson 2

	Ex. Mon	1) Tue	2) Wed & Fri	3) every day	4) every day 9:00 AM
Place	friend's house	CAFE	LIBRARY	dining hall	クラス kurasu / class
Activity			アルバイト arubaito	lunch & dinner	Japanese

Ex. ___げつようび___ (に) ___ともだちの うち___ (に) ___いきます___ 。
　　　 [day]　　　　　　　　 [destination]　　　　　　　 [motion verb]

　　___ともだちの うち___ (で) ___えいが___ (を) ___みます___ 。
　　　 [location of action]　　　　　 [object]　　　　 [activity verb]

1) _____ ( ) ___カフェ___ (kafe) ( ) _____ 。
　　 [day]　　　　　　　　 [destination]　　　　 [motion verb]

　　___カフェ___ (kafe) ( ) ___コーヒー___ (koohii) ( ) _____ 。
　　 [location of action]　　　　 [object]　　　　 [activity verb]

2) _____ ( ) _____ ( ) _____ 。

　　_____ ( ) ___アルバイト___ ( ) _____ 。
　　　　　　　　　　　　　　　 arubaito

3) _____ 。

　　_____ 。

4) _____ 。

　　_____ 。

10 Practice describing daily routines.

G2

Step 1 Describe Tanaka-san's daily routine below, including locations when provided. Fill in ( ) with the appropriate particles, or × if no particle is necessary.

Ex. 7:00; around 7:30	1) 8:00	2) 12:00	3) 4:30	4) 9:00; around 11:00
	school	lunch at dining hall	go home	homework in his room

Ex. たなかさんは あさ しちじ (に) おきます。

　　それから、しちじはんごろ あさごはん (を) たべます。

1) はちじ（　　）_____（　　）_____。

2) じゅうにじ（　　）_____（　　）_____（　　）_____。

3) よじはん（　　）_____（　　）_____。

4) _____。

　　それから、_____。

★★★ [Step 2] Write about your typical daily routine using それから where appropriate. Add locations where applicable.

1) _____。

2) _____。

3) _____。

11 (G3) Fill in ☐ with the appropriate question words from the box to complete the exchanges. You may use the same question word more than once.

a. いつ　　b. なに　　c. なん　　d. どこ

1) A：☐ じに　あさごはんを　たべますか。　　B：しちじはんごろ　たべます。

　 A：☐ を　たべますか。　　B：シリアル (cereal) を　たべます。
　　　　　　　　　　　　　　　　shiriaru

2) A：しゅうまつ ☐ に　いきますか。　　B：ともだちの　うちに　いきます。

3) A：よく ☐ に　かいものに　いきますか。　B：とびらマート (market) に　いきます。
　　　　　　　　　　　　　　　　　　　　　maato

　 A：☐ いきますか。　　B：よく　どようびに　いきます。

12 (G3) The table shows Ai's schedule for this week. For 1) and 2), answer the questions. For 3) and 4), make questions that elicit the answers provided. For 5), create your own question and answer about Wednesday.

Sun	Mon	Wed around 4 PM	Thu evening	Sat
study in friend's room	movie at Japan House	read a book in library	part-time job (アルバイト) arubaito at dorm's cafeteria	listen to songs in café (カフェ) kafe

1) Q：アイさんは　にちようびに　どこで　なにを　しますか。
　　Ai
　 A：_____。

2) Q：アイさんは　いつ　どこで　アルバイトを　しますか。
　　Ai　　　　　　　　　　arubaito
　 A：_____。

3) Q：アイさんは _____ 。
      Ai

   A：げつようびに　みます。

4) Q：アイさんは　どようびに _____ 。
      Ai

   A：カフェで　ききます。
      kafe

5) Q：_____ 。

   A：_____ 。

できるⅡ

★★
13 Expand the conversations by adding follow-up questions. Fill in __ with the appropriate words and
phrases and ( ) with the appropriate particles.
G4

おんがく？   B   A   classical music &
Japanese songs

Ex. A：わたしは　おんがくが　すきです。

   B：そうですか。　おんがく　（ は ）　なにを　ききますか 。

   A：クラシックと　にほんの　うたを　ききます。
     kurashikku

まんが？   B   A   "One Piece" &
"Naruto"

1) A：わたしは　よく　まんがを　よみます。

   B：そうですか。 _____（ 　 ） _____ 。

   A：『ワンピース』と　『ナルト』が　すきです。
     Wanpiisu   Naruto

ひるごはん？   B   A   CAFE

2) A：クラスの　あとで　ひるごはんを　たべます。
     kurasu

   B：そうですか。 _____（ 　 ） _____ 。

   A：カフェで　たべます。
     kafe

えいが？    B   A   your own

3) A：こんしゅうの　しゅうまつ　えいがを　みます。

   B：そうですか。 _____（ 　 ） _____ 。

   A：_____ 。

[Exs. ホラー，　コメディー，　ロマンス，　アクション]
     horaa   komedii   romansu   akushon

14 Fill in ( ) with the appropriate particles from を, に, で, は, も, or × if no particle is necessary. You may use the same particle more than once.

G4

1) A：わたしは　まいしゅう a.(　　) 　どようび b.(　　)　ゲーム c.(　　)　します。
_{geemu}

　　B：そうですか。ゲーム d.(　　)　なにが　すきですか。
_{geemu}

　　A：オープンワールドゲーム (open world game) が　すきです。
_{oopun waarudo geemu}

　　B：あ、そうですか。わたし e.(　　)　よく　オープンワールドゲーム f.(　　)　します。
_{oopun waarudo geemu}

2) A：あした a.(　　)　アニメ b.(　　)　みます。
_{anime}

　　B：そうですか。アニメ c.(　　)　なに d.(　　)　みますか。
_{anime}

　　A：フランスの　アニメ e.(　　)　みます。ともだちの　うち f.(　　)　みます。
_{Furansu} _{anime}

3) A：ろくじ a.(　　)　ばんごはん b.(　　)　たべます。

　　B：そうですか。ばんごはん c.(　　)　どこ d.(　　)　たべますか。

　　A：がっこうの　しょくどう e.(　　)　たべます。ばんごはんの　あとで

　　　　としょかん f.(　　)　いきます。としょかん g.(　　)　しゅくだい h.(　　)　します。

15 Practice connecting sentences for better flow.

★ [Step 1] Choose the appropriate conjunctions from [ ] to complete the sentences.

1) たなかさんは　あさ　はちじはんごろ　おきます。

　　[a.それから　b.でも　c.だから]、がっこうに　いきます。

2) たなかさんは　おちゃが　すきです。[a.それから　b.でも　c.だから]、まいにち

　　たくさん　のみます。[a.それから　b.でも　c.だから]、よる　おちゃを　のみません。

3) たなかさんは　よる　じゅうじごろ　ねます。

　　[a.それから　b.でも　c.だから]、しゅうまつは　よる　じゅうにじごろ　ねます。

★★★ [Step 2] Using Step 1 as a model, write about your daily routine and your favorite things/activities. Use the conjunctions それから , でも , and だから where appropriate.

Dairy routine

わたしは _____

_____。

Favorite things/activities

わたしは _____

_____。

できるⅢ

16 Are you living a healthy lifestyle?

Lesson
2

G5

★★ Step 1 Describe アクティブ (active) さん's five ways to lead a healthy lifestyle based
Akutibu
on the information provided. Fill in (　) with the appropriate particles.

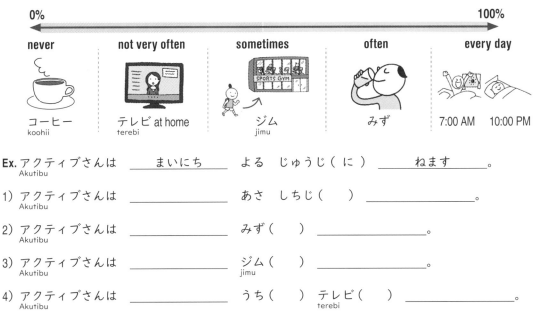

Ex. アクティブさんは _____まいにち_____ よる　じゅうじ（ に ） _____ねます_____ 。
Akutibu

1）アクティブさんは _____ あさ　しちじ（　　） _____ 。
Akutibu

2）アクティブさんは _____ みず（　　） _____ 。
Akutibu

3）アクティブさんは _____ ジム（　　） _____ 。
Akutibu   jimu

4）アクティブさんは _____ うち（　　） テレビ（　　） _____ 。
Akutibu   terebi

5）アクティブさんは _____ コーヒー（　　） _____ 。
Akutibu   koohii

★★★ Step 2 Write about how you lead a healthy lifestyle using the frequency words provided.

1）every day　　わたしは _____ 。

2）often　　わたしは _____ 。

3）sometimes　　わたしは _____ 。

4）not very often　　わたしは _____ 。

5）never　　わたしは _____ 。

17 Write about a place you often go to on weekends and what you do there. Write two or three
sentences.

G5

_____

_____

_____

Class: _____ Name: _____

まとめのれんしゅう | Comprehensive practice

⑱ The following conversation continues from #15 on p.16 in Lesson 1. Fill in __ and complete the conversation between you and Kim-san. Choose the correct conjunction from [ ], and fill in ( ) with the appropriate particles.

You：あの、キムさんは、1)_____。
　　　　　Kimu
　　　　　[Ask what he often does on weekends.]

Kim：わたしは　えいがが　すきです。

　　　[a. それから　b. でも　c. だから]、2)_____。
　　　　　　　　　　　　　　　　　　　　　　　"(I) often watch movies on weekends."

You：そうですか！　わたし a.(　　)　えいがが　だいすきです。

　　　3)_____ b.(　　)　なにが　4)_____。
　　　[Expand the conversation about the topic.]

Kim：ホラー (horror) が　すきです。　○○さんも　ホラーが　すきですか。
　　　　horaa　　　　　　　　　　　　　　　　　　　　　　horaa

You：えっと、ホラー c.(　　)　ちょっと…
　　　　　　horaa

Kim：じゃ、よく　なに d.(　　)　5)_____。

You：えっと、よく　さむらい (samurai) の　えいが e.(　　)　みます。

　　　くろさわあきらの　えいがが　だいすきです。

Kim：そうですか。6)_____ f.(　　)　なに g.(　　)　7)_____。
　　　　　　　　　　　　　　　　　　　　　　　　[Expand the conversation about the topic.]

You：『しちにんの　さむらい (Seven Samurai)』h.(　　)　8)_____。

Kim：そうですか。

きくれんしゅう | Listening practice

1 ① Listen to katakana words often used to describe daily life. Write down each word in katakana.   L2-1

1) _____   2) _____   3) _____

4) _____   5) _____

② Listen to short exchanges and write down what time it is now in Arabic numerals. Use AM or PM where applicable. (Ex. 1:30 PM)   L2-2

1) _____   2) _____   3) _____   4) _____   5) _____

2 Listen to the conversations between two students after Japanese class. Each conversation will end with a beep, indicating a missing line. Then, listen to statements a, b, and c and circle the most appropriate statement for the missing line.   L2-3

1) a   b   c   2) a   b   c   3) a   b   c

3 Suppose you are in an intensive Japanese program. Listen to the teacher's announcement on the schedule for tomorrow and fill in the table with the information in English.   L2-4

みなさん：everyone   スケジュール：schedule   フリータイム：free time   カラオケ：karaoke
　　　　　　　　　　sukejuuru　　　　　　　furiitaimu　　　　　　　　karaoke

Activity	Time	Place	Activity	Time	Place
Breakfast			Japanese art books		
Movie			Karaoke		
Lunch			Dinner		

4 Gomez-san (female) and Li-san (male) are talking after their Japanese class. Listen to their conversation and mark ○ if the statement is true and × if it is false.   L2-5

テスト：test
tesuto

1) (　　　) Li-san will work part-time on Saturday and go to the library on Sunday.

2) (　　　) Li-san was originally planning to read books about politics and math in the library.

3) (　　　) Li-san likes to study at a café.

4) (　　　) Li-san and Gomez-san will have a Japanese test next week, so they will study together for the test.

Lesson 3 | とうきょうでなにをしましたか。
What did you do in Tokyo?

たんごのれんしゅう | Vocabulary practice

1 Look at the family tree and provide the appropriate family terms in the table as in the examples. (Note that the kinship terms used when referring to your own family members differ from those used when referring to someone else's family members.)

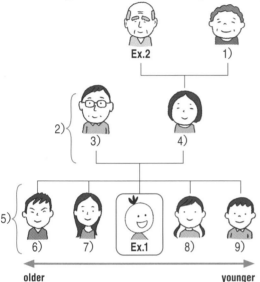

	わたしのかぞく	たなかさんのごかぞく
Ex.1	わたし	たなかさん
Ex.2	そふ	おじいさん
1)		
2)		
3)		
4)		
5)		
6)		
7)		
8)		
9)		

2 Write the months of the following days/events in hiragana.

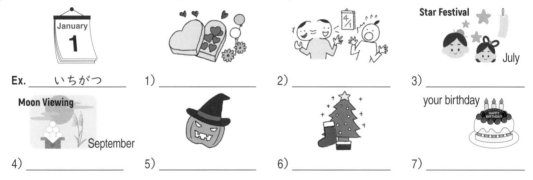

Ex. _____いちがつ_____ 1) _____ 2) _____ 3) _____

4) _____ 5) _____ 6) _____ 7) _____

3 Write how many people there are each picture in hiragana.

Ex. _____はちにん_____ 1) _____ 2) _____ 3) _____

4) _____ 5) _____ 6) _____ 7) _____

30

4 Match each picture with its corresponding verb and related group of nouns as in the example.

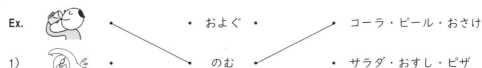

Ex. ・ およぐ ・ ・ コーラ・ビール・おさけ

1) ・ のむ ・ ・ サラダ・おすし・ピザ

2) ・ はなす ・ ・ にほんご・えいご・ちゅうごくご

3) ・ かく ・ ・ うみ・プール (swimming pool)

4) ・ つくる ・ ・ てがみ・メール・かんじ

Lesson **3**

5 Match the verbs and verb phrases with their corresponding pictures.

Ex. デートする （ b ）　1）りょこうする　（　）　2）うんどうする　（　）

3）じてんしゃに　のる（　）　4）おふろに　はいる（　）　5）ともだち {に／と} あう（　）

6）りょうりする　（　）　7）しゃしんを　とる（　）　8）そうじする　（　）

9）せんたくする　（　）

a.　b.　c.　d.　e.

f.　g.　h.　i.　j.

じょしのれんしゅう | Particle practice

Fill in ( ) with the appropriate particles.

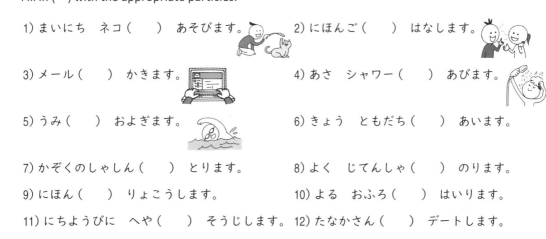

1）まいにち　ネコ（　）　あそびます。　2）にほんご（　）　はなします。

3）メール（　）　かきます。　4）あさ　シャワー（　）　あびます。

5）うみ（　）　およぎます。　6）きょう　ともだち（　）　あいます。

7）かぞくのしゃしん（　）　とります。　8）よく　じてんしゃ（　）　のります。

9）にほん（　）　りょこうします。　10）よる　おふろ（　）　はいります。

11）にちようびに　へや（　）　そうじします。　12）たなかさん（　）　デートします。

31

Class: _____   Name: _____

ぶんぽうのれんしゅう | Grammar practice

① Based on the pictures provided, answer A's questions about family structure as in the example.

1) A：なんにんかぞくですか。

B： ^{Ex.} さんにんかぞくです。　　C：_____。　　You：_____。

2) A：なんにんきょうだいですか。

B：_____きょうだいです。　　C：_____。　　You：_____。

② Complete B's responses to A's questions.

Ex. A：いもうとさんは　なんさいですか。　　B：_いもうと_は　15 さいです。

1) A：おにいさんは　だいがくせいですか。　　B：_____ですか。はい、だいがくせいです。

2) A：おばあさんは　なんさいですか。　　B：_____ですか。いま　90 さいです。

3) A：ごりょうしんのしゅっしんは　どこですか。B：_____のしゅっしんは　きょうとです。

4) A：おこさんは　いま　なんさいですか。　　B：_____は　8 さいです。

③ The following is a conversation between you and Sato-san, your Japanese friend. Fill in __ with the appropriate words to complete the conversation.

You ：さとうさんは　なんにんかぞくですか。

Sato：1)_____かぞくです。ちちと　ははと　あねと　おとうとです。

You ：そうですか。2)_____のしごとは　なんですか。

Sato：ちちのしごとですか。ちちは　かいしゃいんです。

You ：そうですか。じゃ、おかあさんは？

Sato：3)_____は　だいがくのせんせいです。

Sato

You ：へえ、そうですか。4)_____は　がくせいですか。

Sato：はい。5)_____は　いま　ゴーブルだいがくのよねんせいです。

You ：そうですか。6)_____は？

Sato：おとうとは　こうこうのいちねんせいです。

32

★★ 4 Write about your family or your dream family in the future. Draw a picture or paste a photo of the family you have chosen in the box below. Write five or more sentences.

Circle the family you have chosen:

a）わたしのかぞく

b）わたしのゆめのかぞく (my dream family)

Information to include: family structure, members, additional information (ages, jobs, hobbies, activities they often do, etc.)

_____

_____

_____

_____

_____

_____

できるⅡ

★ 5 Fill in the table with the appropriately conjugated verbs.

	Dictionary form	Masu-form (past)	
		Affirmative	Negative
Ru-verbs	たべる	たべました	たべませんでした
	みる		
	（シャワーを）　あびる		
U-verbs	あう	あいました	あいませんでした
	あそぶ		
	およぐ		
	かく		
	つくる		
	のる		
	はなす		
	（おふろに）　はいる		
	（しゃしんを）　とる		
Irregular verbs & suru-verb	くる		
	する		
	うんどうする		

6 Practice describing activities in the past.

G1

★★ Step 1 Describe what アクティブ (active) さん did and didn't do last week.

Ex. 7:00 / morning	1) 7:30 / every day	2) Tuesday and Thursday / worked out at the gym	3) weekend / wrote many emails	4)

Ex. アクティブさんは　せんしゅう　あさ　７じに　おきました。

1）アクティブさんは　せんしゅう _____ 。

2）それから、_____ 。

3）そして、_____ 。

4）でも、_____ 。

★★★ Step 2 Describe what you did and didn't do last week. Use the conjunctions それから, そして or でも where appropriate. Write at least three sentences.

わたしは　せんしゅう _____

_____

_____

_____

7 Answer the questions in complete sentences based on your own information. Use frequency or time expressions in your answer where appropriate.

G2

1）こどものとき、よく　だれと　あそびましたか。

_____ 。

2）こうこうのとき、よく　ともだちと　なにを　しましたか。

_____ 。

3）きょねんの　なつやすみに　だれと　どこに　いきましたか。

_____ 。

Class: _____　　Name: _____

⑧ G3 Describe what Tao did and didn't do in the past, adding the appropriate particles in (　) to show addition and contrast. For 5) and 6), provide your own information.

Ex. タオさんは　きのう　＿＿＿コーラ＿＿＿（　を　）　のみました。

それから、＿＿おちゃ＿＿（　も　）　のみました。

でも、＿＿ビール＿＿（　は　）　のみませんでした。

Lesson 3

1) タオさんは　せんしゅう　＿＿＿＿＿＿＿＿（　　）　たべました。

それから、＿＿＿＿＿＿＿＿（　　）　たべました。

でも、＿＿＿＿＿＿＿＿（　　）　たべませんでした。

2) タオさんは　きのう　＿＿＿＿＿＿＿＿（　　）　つくりました。

それから、＿＿＿＿＿＿＿＿（　　）　つくりました。

でも、＿＿＿＿＿＿＿＿（　　）　つくりませんでした。

3) タオさんは　せんげつ　ネコの＿＿＿＿＿＿＿（　　）　とりました。

それから、イヌの＿＿＿＿＿＿＿（　　）　とりました。

でも、＿＿＿＿＿＿＿＿＿＿＿＿＿＿＿（　　）　とりませんでした。

Her younger brother

4) タオさんは　けさ　カード（　　）　＿＿＿＿＿＿＿＿。

それから、＿＿＿＿＿＿＿＿（　　）　＿＿＿＿＿＿＿＿。

でも、＿＿＿＿＿＿＿＿（　　）　＿＿＿＿＿＿＿＿＿＿＿＿。

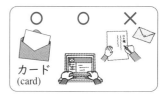

カード (card)

5) わたしは　きのう　＿＿＿＿＿＿＿＿（　　）　べんきょうしました。

それから、＿＿＿＿＿＿＿＿（　　）　べんきょうしました。

でも、＿＿＿＿＿＿＿＿（　　）　べんきょうしませんでした。

your own

6) Use one of the following verbs: たべる, のむ, つくる, する, みる, or はなす.

わたしは　＿＿＿＿＿＿　＿＿＿＿＿＿＿＿（　　）　＿＿＿＿＿＿＿＿＿＿＿。

それから、＿＿＿＿＿＿＿＿＿＿＿＿（　　）　＿＿＿＿＿＿＿＿＿＿＿。

でも、＿＿＿＿＿＿＿＿＿＿＿＿＿＿（　　）　＿＿＿＿＿＿＿＿＿＿＿。

your own

★★
9
G4
Based on the cues provided, describe what アクティブ (active) さん and レイジー (lazy) さん did and didn't do last week in one sentence using the conjunction が.

アクティブ	レイジー
↓	↓

Ex. ○ ✕

せんしゅう　アクティブさんは　あさのクラスに　いきましたが、

レイジーさんは　あさのクラスに　いきませんでした。

1) ○ ✕

_____

_____。

2) ○ ✕

_____

_____。

3) ○ ✕

_____

_____。

4) ○ ✕

_____

_____。

★★
10
G5
Write what you did and didn't do when you were a child or a high school student, giving two specific examples. Fill in ( ) with the appropriate particles, including the non-exhaustive listing particle や. (If you don't know how to say something in Japanese, try spelling it out in katakana and provide the English term below it as in the example.)

Ex.1 わたしは　こどものとき、よく　＿＿＿ゲーム＿＿＿（ を ）　しました。

＿＿マリオのゲーム＿＿（ や ）＿ポケモンのゲーム＿（ を ）　しました。
　　　Mario　　　　　　　　　　Pokemon

Ex.2 わたしは　こどものとき、あまり　＿＿＿やさい＿＿＿（ を ）　たべませんでした。

＿＿ブロッコリー＿＿（ や ）＿＿＿トマト＿＿＿（ を ）　たべませんでした。
　　　broccoli　　　　　　　　　　　tomato

1) わたしは　こどものとき、よく　＿＿＿＿＿＿＿（　）　たべました。

＿＿＿＿＿＿＿（　）＿＿＿＿＿＿＿（　）　たべました。

2) わたしは　こうこうのとき、よく　＿＿＿＿＿＿＿（　）　みました。

＿＿＿＿＿＿＿（　）＿＿＿＿＿＿＿（　）　みました。

3) わたしは　＿＿＿＿＿＿＿のとき、よく　＿＿＿＿＿＿＿（　）　いきました。

＿＿＿＿＿＿＿（　）＿＿＿＿＿＿＿（　）　いきました。

4）わたしは _____ のとき、よく _____ と　あそびました。

_____（　　）_____（　　）あそびました。

5）わたしは _____ のとき、あまり _____（　　）_____ませんでした。

_____（　　）_____（　　）_____ませんでした。

6）your own : _____。

_____。

11 Practice talking about your childhood in detail.

G1-G3,G5

★★ Step 1 Keita is writing about what he used to do as a child. Based on the information provided, fill in __ with what he did and ( ) with the appropriate particles.

1）ぼくは _____ のとき、よく _____（　　）

いっしょに　おかし（　　）_____ ました。

2）よく　ケーキ（　　）パイを _____ 。

3）ときどき　カップケーキ（　　）_____ 。

4）でも、クッキー（　　）_____ 。

★★★ Step 2 Using Step 1 as a model, choose one of the topics from the box and describe in detail what you often did in your childhood.

> **Topics**　えいが　ゲーム　おんがく　おかし　ほん

1）わたしは _____ のとき、よく _____ 。

2）よく _____ 。
[Give two specific examples, implying there are more.]

3）ときどき _____ 。
[Add an additional thing you did.]

4）でも、_____ 。
[Write what you didn't do.]

Class: _____   Name: _____

⭐12 Fill in ( ) with the appropriate particles from を, に, で, も, と, や, the constast marker は, or the contrast conjunction が. You may use the same particle or conjunction more than once.

G2-G5

1) わたしは　きのう　すずきさん a.(　　)　いっしょに　スーパー (supermarket)

b.(　　)　いきました。スーパー c.(　　)　にく d.(　　)　やさい e.(　　)

かいました。のみものは、コーラ f.(　　)　かいました。ビール g.(　　)

かいました。でも、みず h.(　　)　かいませんでした。わたしは　たくさん

かいました i.(　　)、すずきさん j.(　　)　あまり　かいませんでした。

2) かいもののあとで、わたしは　すずきさんの　うち a.(　　)　いきました。

そして、すずきさん b.(　　)　いっしょに　ばんごはん c.(　　)　つくりま

した。わたしは　サラダ d.(　　)　つくりました。ケーキ e.(　　)　つくり

ました。すずきさん f.(　　)　ピザ g.(　　)　つくりました。それから、わ

たしは　ビール h.(　　)　のみました。すずきさんは　ビール i.(　　)　の

みませんでした j.(　　)、コーラ k.(　　)　のみました。

できるⅢ

⭐13 Choose the most appropriate options from [ ] to complete the conversations.

G6,G7

1) A：きょう　いっしょに　ゲームを　［a. します　b. しませんか　c. しましたか］。

B：いいですね！　［a. しませんか　b. どうですか　c. しましょう］。

A：なにを　［a. しませんか　b. しましょうか　c. どうですか］。

B：マリオカートは　［a. どうですか　b. しましょうか

c. しましょう］。

A：いいですね。マリオカートを［a. します　b. しませんか　c. しましょう］。

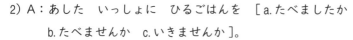

2) A：あした　いっしょに　ひるごはんを　［a. たべましたか

b. たべませんか　c. いきませんか］。

B：いいですね。［a. たべませんか　b. たべましょう

c. たべません］。

A：じゃ、なんじに　［a. あいましょうか　b. あいませんか

c. どうですか］。

B：12じ［a. を　b. に　c. は］　どうですか。

A：いいですね。じゃ、そう　［a. します　b. しませんか

c. しましょう］。

3) A：こんしゅうの　どようびに　ぼくのうちで　パーティーを

します。[a. いきますか　b. いきませんか　c. きませんか]。

B：すみません。しゅうまつは　[a. いきます　b. きません

c. ちょっと…]。

today?

Mario Kart?

tomorrow?

this Saturday?

A   B

A   B

A   B

38

14 A is inviting B out for various activities, and B either offers a suggestion or declines. Based on the information provided, fill in __ and add the appropriate particles in ( ) to complete the conversations.

G6,G7

Lesson
3

1) A：〇〇さん、_____

　　_____。

　B：いいですね。_____。

　A：どこ（　　）_____。

　B：としょかん（　　）_____。

　A：いいですね。じゃ、としょかん（　　）_____。

after class?

LIBRARY ?

A　B

2) A：〇〇さん、_____

　　_____。

　B：いいですね。ぜひ _____。

　A：なに（　　）_____。

　B：イタリアりょうり（　　）_____。

　A：いいですね。そう_____。

tonight?

make dinner

Italian cuisine?

A　B

3) A：〇〇さん、_____

　　_____。

　B：すみません。_____は _____…

weekend?

ネコカフェ

✕

A　B

4) A：〇〇さん、_____

　　_____。

　B：いいですね。ぜひ _____。

　A：なに（　　）_____。

　B：ホラー（　　）_____。

　A：ホラーですか。すみません。ホラー（　　）_____…

　B：じゃ、コメディー（　　）_____。

　A：あ、いいですね。

tonight?

horror?

comedy?

A　B

まとめのれんしゅう | Comprehensive practice

★★★
⑮ You are talking with Park-san, your Japanese classmate. Fill in __ and add the appropriate particles in (　) to complete the conversation.

Park：○○さん、せんしゅうのしゅうまつ　なにを　しましたか。

You　：1)_____。

　　　　それから、2)_____。

Park：へえ、そうですか。

You　：3)_____。
　　　　　　　　　　　　　　　　　　　　[Ask back.]

Park：わたしは　にほんりょうりのレストランに　いきました。

You　：へえ、4)_____。いいですね！
　　　　　　　　　[Respond appropriately.]

Park：あのう、○○さん、たべもの a.(　　) なにが　すきですか。

You　：わたしは　5)_____ b.(　　) 6)_____が　すきです。
　　　　　　　　　　　　[Give two specific examples, implying there are more.]

Park：じゃ、こんしゅうのしゅうまつ、いっしょに　7)_____

　　　_____。
　　　　　　　[Invites you to a restaurant that serves the kinds of food you like]

You　：いいですね。8)_____。いつ　9)_____。
　　　　　　　　　　　　"Let's ~."

Park：どようびの　１１じはん c.(　　) 10)_____。
　　　　　　　　　　　　　　　　　　　　　[suggestion]

You　：１１じはんですか。いいですね。どこ d.(　　) 11)_____。
　　　　　　　　　　　　　　　　　　　　　　　　　　　"meet"

Park：わたしのいえは　どうですか。

You　：いいですね。じゃ、１１じはん e.(　　) パクさんのいえ f.(　　)

　　　　12)_____。

きくれんしゅう | Listening practice

1 Listen to three sentences that describe what Lin-san did and write down each sentence. Then, match the sentences with their corresponding pictures. 🔊 L3-1

1) _____ ( )

2) _____ ( )

3) _____ ( )

a.　　　　b.　　　　c.　　　　d.　　　　e.

2 Listen to the conversations between classmates. Each conversation will end with a beep, indicating a missing line. Then, listen to statements a, b, and c and circle the most appropriate statement for the missing line. 🔊 L3-2

まっちゃ：powdered green tea

1) a　　b　　c　　　　2) a　　b　　c　　　　3) a　　b　　c

3 Brown-san (female) and Kim-san (male) are talking about their weekend. Listen to their conversation, then summarize what you hear in the table in English. 🔊 L3-3

	Brown	Kim
Days of the week		
Activities (in detail)		
Companions		

4 Ken (male) and Mai (female) are college students. They are talking about the pictures on Ken's social media page. Listen to their conversation, then mark ○ if the statement is true and ✕ if it is false. 🔊 L3-4

トロント：Toronto　　　CNタワー：CN Tower in Toronto　　　ナイアガラのたき：Niagara Falls

1) (　　) Ken went to CN Tower with his parents and older sister.

2) (　　) Ken met his sister's friend at the University of Toronto.

3) (　　) Mai went to CN Tower and Niagara Falls when she was a child.

4) (　　) Ken and Mai went to Toronto when they were high school students.

Lesson 4

私もたこ焼きを一つください。
One *takoyaki* for me too, please!

たんごのれんしゅう | Vocabulary practice

1 Match the adjectives from the first box with their corresponding pictures, then fill in ( ) with their opposites from the second box as in the example.

おいしい　あたらしい　あつい　おおきい　たかい　たのしい　にぎやか　やさしい

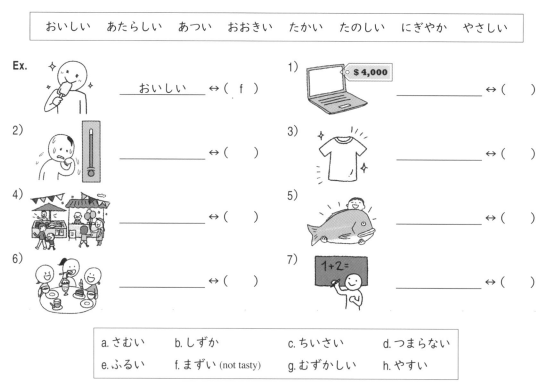

Ex. ___おいしい___ ↔ (f)

1) _____ ↔ ( )

2) _____ ↔ ( )

3) _____ ↔ ( )

4) _____ ↔ ( )

5) _____ ↔ ( )

6) _____ ↔ ( )

7) _____ ↔ ( )

a. さむい	b. しずか	c. ちいさい	d. つまらない
e. ふるい	f. まずい (not tasty)	g. むずかしい	h. やすい

2 Match the adjectives from the box with their corresponding pictures. You may use each word only once.

あつい　　かっこいい　　きれいな　　げんきな　　たいへんな　　ゆうめいな

Ex. ___ゆうめいな___ 絵 (painting)
え

1) _____ 手
て

2) _____ コーヒー

3) _____ 人

4) _____ 仕事
しごと

5) _____ 子ども

42

Class: _____   Name: _____

3 Fill in __ with the appropriate adjectives from the boxes to complete the sentences. You may use each word only once.

| おもしろい   かわいい   きれい   さむい |

1) 公園で_____ウサギを見ました。
   こうえん   み
2) この映画は_____です。
   えいが
3) 友達の部屋はとても_____です。でも、_____です。
   ともだち　へや

Lesson 4

| あたらしい   いそがしい   おいしい   むずかしい |

4) 日本語の宿題はときどき_____です。
   にほんご　しゅくだい
5) 今日は_____ですか。クラスの後で、話しませんか。
   きょう   あと   はな
6) _____カフェに行きました。そして、_____コーヒーを飲みました。
                              い   の

4 Match the nouns from the box with their corresponding pictures. Then, answer the question with your own information.

| a.くるま   b.じてんしゃ   c.タクシー   d.ちかてつ   e.でんしゃ   f.バス   g.ひこうき |

(　)　(　)　(　)　(　)　(　)　(　)　(　)

Q：よく何に乗りますか。
   なに　の
A：私はよく_____に乗ります。_____にあまり乗りません。
                          の   の

5 Practice using counters and numbers.
　① Arrange the numbers from smallest to largest.
　a.いつつ　　b.ここのつ　　c.とお　　d.ななつ　　e.ひとつ　　f.ふたつ　　g.みっつ
　h.むっつ　　i.やっつ　　j.よっつ

(　)→(　)→(　)→(　)→(　)→(　)→(　)→(　)→(　)→(　)

　② Arrange the numbers from smallest to largest, then write them using Arabic numerals in [ ].
　a.いちまん　　b.さんぜん　　c.じゅうまん　　d.せん　　e.にせんにじゅうよん　　f.ひゃく

(　)　→　(　)　→　(　)　→　(　)　→　(　)　→　(　)
[　　] [　　] [　　] [　　] [　　] [　　]

43

ぶんぽうのれんしゅう | Grammar practice

できるⅠ

① Choose the most appropriate words from [ ] to complete the questions used in the pictured situations.

G1,G2   1)

2)

3)

4)

5)

1) ［a. これ　b. それ　c. あれ　d. どれ］は何ですか。

2) ［a. これ　b. それ　c. あれ　d. どれ］を食べませんか。

3) さくらもちは［a. これ　b. それ　c. あれ　d. どれ］ですか。

4) ［a. この　b. その　c. あの　d. どの］本は日本語の本ですか。

5) ［a. この　b. その　c. あの　d. どの］人はだれですか。

② You are talking with Smith-san. Fill in __ with the appropriate words based on the pictures provided.

G1,G2

1) You　　：_____本は_____の本ですか。

　　Smith：黒田先生の本です。

2) You　　：_____はスミスさんの自転車ですか。

　　Smith：はい、私の自転車です。

3) You　　：_____ネコの名前は_____ですか。

　　Smith：ムギです。

③ Two people are looking for a birthday gift for their friend. Fill in __ with the appropriate words based
on the pictures provided. Write the prices in **hiragana only**.

G1,G2

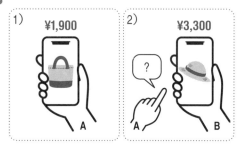

1) A：この_____は_____円です。

　　B：へえ、そうですか。

2) A：_____ _____は_____ですか。

　　B：_____円です。

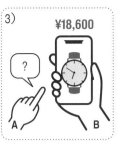

Class: __________ Name: ____________________

3)

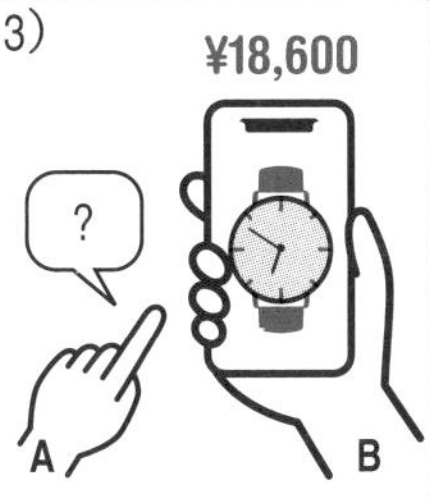

4)

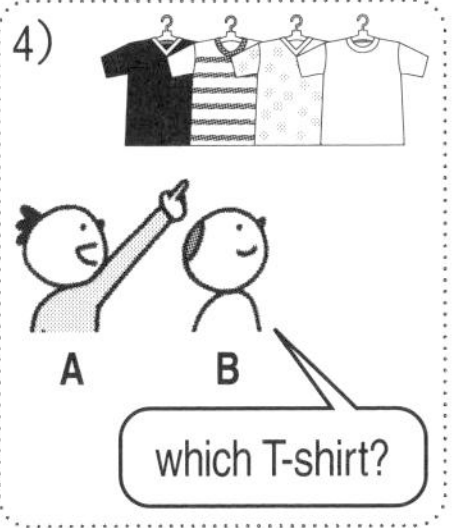

3) A：______ ______は 5,000 円(えん)ぐらいですか。

B：いいえ、____________________円(えん)です。

4) A：______ __________を買(か)いませんか。

B：______ __________ですか。

Lesson 4

4 ★ G1,G2 Complete the following phrases for buying/ordering food items. Fill in __ with the appropriate numbers and counters, and ( ) with the appropriate particles or × if nothing is necessary.

1) <コンビニで> A：このおにぎりを買(か)いませんか。

B：いいですね。______（　）買(か)いましょう。

rice ball

2) <カフェで> ______（　）______（　）ください。

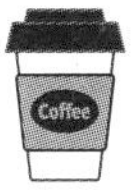

3) <レストランで> ______（　）______（　）

______（　）______（　）ください。

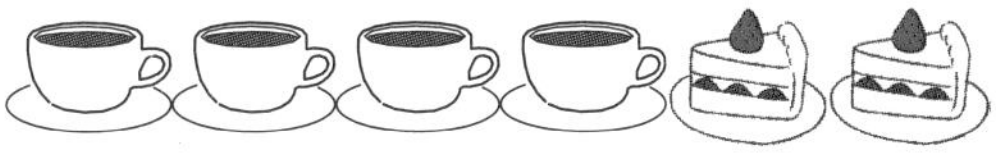

5 ★★ G1,G2 You and Ai are at a restaurant for lunch. Decide what to order and fill in __ with the appropriate sentences.

You：アイさんは 1)____________________。

Ai：私は野菜(やさい)うどんにします。それから、

お茶(ちゃ)を飲(の)みます。〇〇さんは？

You：私は 2)____________________。
[your own]

<Call a server and order food for the two of you.>

You：すみません。3)____________________

____

____________________。

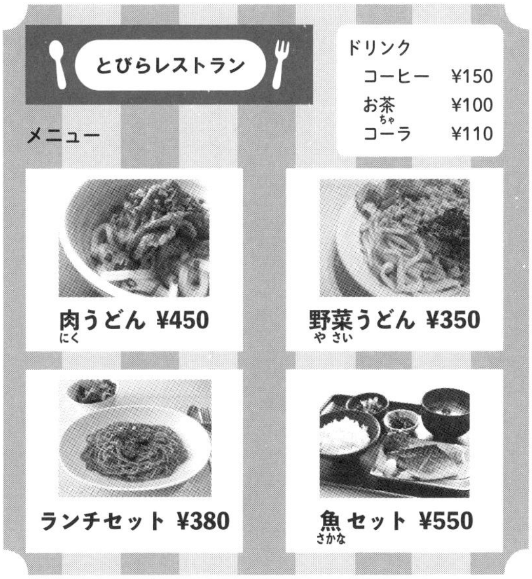

<At the cashier>

Cashier：ありがとうございます。全部(ぜんぶ)で (in total) 4)____________________円(えん)です。

You：カードでお願(ねが)いします。(I'll pay with a credit card.)

できるⅡ

★ 6 Describe the following things using the adjectives provided.

G3

1) cute　　2) nice [personality]　　3) clean　　4) expensive　　5) big　　6) famous

1) _____ ネコ　　2) _____ 人　　3) _____ 部屋
へや

4) _____　　5) _____　　6) _____

★★ 7 Complete the conversations using the cues provided.

G3

1) A：週末どこに行きましたか。
しゅうまつ　　い

B：_____ ショッピングモール (shopping mall) に行きました。
"big"　　　　　　　　　　　　　　　　　　　　　い

2) A：ショッピングモールで何を買いましたか。
なに　か

B：_____。
"inexpensive hat and cool T-shirt"

3) A：ショッピングモールで何を食べましたか。
なに　た

B：_____。
"delicious salad and small pizza"

4) A：ショッピングモールで映画を見ましたか。
えいが　み

B：はい、_____。_____です。
"funny movie"　　　　　　　　　　"new movie"

★★ 8 Answer the questions based on your own information using adjectives.

G3

1) 出身はどこですか。どんな町ですか。
しゅっしん　　　　　まち

_____。_____。

2) どんなカフェが好きですか。
す

_____。それから、_____。

3) どんな先生が好きですか。
せんせい　す

_____。それから、_____。

46

9 Fill in the table with the appropriately conjugated adjectives. Write in **hiragana**.

	Non-past (polite)			Non-past (polite)	
Meaning	Affirmative	Negative	Meaning	Affirmative	Negative
cold	さむいです		to like	すきです	
cute			quiet		
cool; good-looking			tough		

Lesson **4**

10 Rewrite the given sentences using the words provided in (　).

Ex. このアパートはちょっと古いです。___あたらしくないです___。(new)

1）この 魚 は小さいです。_____。(big)

2）この町は静かです。_____。(lively)

3）ひらがなはやさしいです。あまり_____。(difficult)

4）このゲームはおもしろいです。ぜんぜん_____。(boring)

5）今、飛行機のチケットは安いです。あまり_____。(expensive)

11 Complete the sentences about school using the cues provided.

1）私の学校は_____。でも、_____。
　　　　　　　　"not big"　　　　　　　　　　　　"famous"

2）大学の生活 (life) は_____が、_____。
　　　　　　　　　　　　"busy"　　　　　　　　　　"fun"

3）先生はみんな_____。それから、_____。
　　　　　　　　　　"energetic"　　　　　　　　　[your own description]

4）日本語の勉 強 は_____。_____、_____。
　　　　　　　　　　　[your own description: Use two adjectives and a conjunction.]

12 Complete the following sentences based on your own information, using adjectives when possible.

1）私の趣味は_____です。_____は_____。

2）私の友達は_____。それから、_____。

3）私の部屋は_____が、_____。

47

できるⅢ

⑬ Fill in the table with the appropriately conjugated words. Write in **hiragana**.

G4

	Non-past (polite)		Past (polite)	
Meaning	Affirmative	Negative	Affirmative	Negative
hot				
good	いいです			
pretty; clean				
high school	こうこうです			

⑭ Find and underline the mistake in each sentence. Then, write the correct form as in the example.

G4 **Ex.** このケーキは<u>おいしいでした</u>。 → _____おいしかったです_____

1) このまんがはおもしろいくなかったです。 → _____

2) まんがの絵 (picture) はかわよくなかったです。 → _____
え

3) 富士山 (Mt. Fuji) はきれかったです。 → _____
ふじさん

4) コンサートのチケットは安いでした。 → _____
やす

5) 去年このバンド (musical band) は有名じゃないでした。 → _____
きょねん　　　　　　　　　　ゆうめい

⑮ Describe the following situations that happened in the past. Complete the sentences based on the cues provided.

G4

1) busy　　2) boring / not fun　　3) expensive / good　　4) difficult / tough　　5) tasty / so-so

1) 先週の週末は_____。
せんしゅう　しゅうまつ

2) 昨日は_____。ぜんぜん_____。
きのう

3) 映画は_____。でも、_____。
えいが

4) 宿題は_____。だから、_____。
しゅくだい

5) 料理は_____。でも、サービス (service) は_____。
りょうり

16 Answer the questions based on your own information, using at least one adjective and an appropriate conjunction.

G4

1）先週の日本語のクラスはどうでしたか。
　　せんしゅう　にほんご

_____

2）週末は何をしましたか。どうでしたか。
　　しゅうまつ　なに

_____

Lesson 4

できるⅣ

17 Fill in ( ) with the appropriate particles.

G5

1）リーマンさんはよくスマホ a.(　　) メール b.(　　) 書きます。
　　　　　　　　　　　　　　　　　　　　　　　　　　か

2）マークさんは毎日自転車 a.(　　) 乗ります。自転車 b.(　　) 学校に行きます。
　　　　　　まいにちじてんしゃ　　　　　の　　　　じてんしゃ　　　　　がっこう　い

3）圭太さんはたいてい箸 a.(　　) サラダ b.(　　) 食べます。
　　けいた　　　　　　　はし　　　　　　　　　　　た

4）アイさんはジャンさんと 10 時 a.(　　) 11 時 b.(　　) 電話 c.(　　) 話しました。
　　　　　　　　　　　　　　じ　　　　　じ　　　　てんわ　　　　はな

5）家 a.(　　) 空港 (airport) b.(　　) 車 c.(　　) 40 分ぐらいかかります。
　　いえ　　　くうこう　　　　　　くるま　　　　ぷん

 18 Explain what mode of transportation is used to get to the places shown below. Fill in __ with the appropriate words and phrases. For 4)-6), add how long it takes.

G5

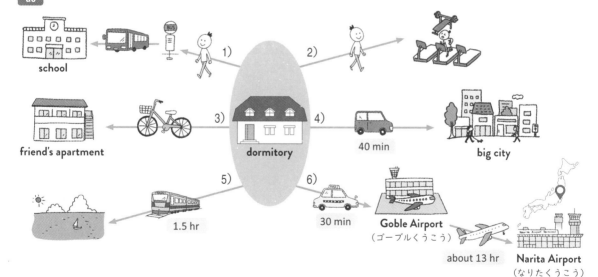

1）りょうからバス停まで歩いて行きます。バス停_____行きます。
　　　　　　てい　ある　い　　　　　　　　てい　　　　　　　　　　　　い

2）りょう_____。

3）りょう_____。

4）りょう_____車_{くるま}_____かかります。

5）りょう_____。

6）りょう_____。

　　それから、_____。

19 ★★
G5

Complete the conversations between you and your classmate, Tom, based on the cues provided. Fill in (　) with the appropriate particles or insert an × if no particle is necessary.

1) Tom：〇〇さんの｛うち／りょう｝はどこですか。

　　You：_____です。

　　Tom：そうですか。クラスの後_{あと}で、｛うち／りょう｝（　　）

　　　　　_____帰_{かえ}りますか。

　　You：_____（　　）帰_{かえ}ります。

　　Tom：_____。

　　You：_____。

how?
how long?
your own

2) Tom：〇〇さんは週末_{しゅうまつ}、よくどこに行_いきますか。

　　You：えっと、_____（　　）_____。

　　Tom：そうですか。｛うち／りょう｝（　　）そこ (there)（　　）

　　　　　_____行_いきますか。

　　You：たいてい_____（　　）_____。

　　　　　｛うち／りょう｝（　　）_____。

where?
your own
how?
by 〇〇
〇〇 min/hr

3) Tom：日本_{にほん}（　　）ハワイ（　　）飛行機_{ひこうき}（　　）

　　　　　何時間_{なんじかん}_____。

　　You：えっと、_____。

　　Tom：そうですか。飛行機_{ひこうき}のチケットは_____ぐらい

　　　　　ですか。

　　You：_____よ。

Hawaii
how long?
7.5 hr
how much?
about
80,000 yen

Tom　You

まとめのれんしゅう │ Comprehensive practice

★★★ 20 You and your friend are talking about **a city or town you have been to**. Fill in __ and complete the conversation.

Lesson 4

Friend：○○さんの好きな町はどこですか。

You　：1)_____です。
[name of the place: Try spelling it out in katakana and provide the English term below it.]

Friend：いつ行きましたか。

You　：2)_____。

Friend：ここ (here) 3)_____。
"How long did it take?"

You　：4)_____。
[Include means of transportation in your answer.]

Friend：そうですか。5)_____はどんな町ですか。

You　：6)_____。それから、7)_____。

Friend：そうですか。8)_____。
"What did you do there?"

You　：9)_____。それから、10)_____。

Friend：いいですね。11)_____。
"How was X (food, people, etc.)?"

You　：12)_____。13)_____、14)_____。
[Use two adjectives and a conjunction.]

きくれんしゅう | Listening practice

1 ① Listen to the prices and write them down in Arabic numerals. 🔊 L4-1

1) _____円
えん
2) _____円
えん
3) _____円
えん

② Listen to the three dialogues. Based on what your hear, provide the time for 1) and the number and the counter for 2) and 3) using Arabic numerals. 🔊 L4-2

1) _____ 2) _____ 3) _____

2 Listen to the three conversations taking place at a Japanese restaurant. Each conversation will end with a beep, indicating a missing line. Then, listen to statements a, b, and c and circle the most appropriate statement for the missing line. 🔊 L4-3

1) a　　b　　c　　2) a　　b　　c　　3) a　　b　　c

3 Listen to the conversation between Alex (male) and Sky (female), who are traveling in Japan. They are making a plan to go to Narita Airport from Tokyo Station. Fill in the table in English based on what you hear, then circle the mode of transportation that they are going to use. 🔊 L4-4

スーツケース：suitcase

Transportation	Cost	Time it takes
タクシー		
電車
でんしゃ		
バス		

4 Kyoko (female) and Akira (male) are talking about last weekend. Listen to their conversation and mark ○ if the statement is true and × if it is false. 🔊 L4-5

映画館：movie theater
えいがかん

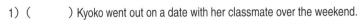

1) (　　　　) Kyoko went out on a date with her classmate over the weekend.

2) (　　　　) The curry udon Kyoko ate did not taste good.

3) (　　　　) Kyoko thought her date was a quiet person.

4) (　　　　) Kyoko did not think that the movie was interesting.

カレーうどん
(curry udon)

Lesson 5 | にゃんたがいません。
Nyanta is missing!

たんごのれんしゅう | Vocabulary practice

1 Provide the terms for the places shown below in hiragana or katakana.

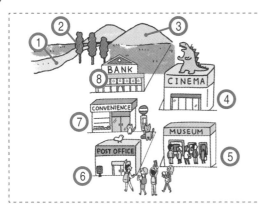 

1) _____

2) _____

3) _____

4) _____

5) _____

6) _____

7) _____

8) _____

9) _____

10) _____

11) _____

12) _____

13) _____

14) _____

15) _____

2 You are moving into a new furnished home. Based on the pictures, check off the items you have in your new room and house from the list.

部屋 へ ゃ	□ いす	□ つくえ	□ まど
	□ ソファ	□ ベッド	
うち	□ キッチン	□ おてあらい	
	□ リビング	□ ちか	

3 Provide the location words that correspond to the pictures.

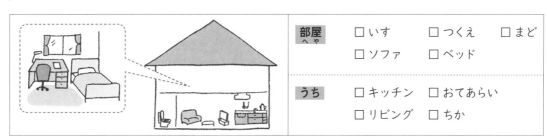

Ex. _____
まえ

1) _____

2) _____

3) _____

4) _____

Lesson
5

53

5) 6) 7) 8) 9)

_____ _____ _____ _____

4 Match the items on the left with their Japanese counters on the right.

1）Ｔシャツ •   • いっかい・にかい・さんがい

2）イヌ •   • ひとり・ふたり・さんにん

3）建物のフロア •
　　たてもの   • いちまい・にまい・さんまい

4）学生 •   • いっぴき・にひき・さんびき

5 Fill in the calendar by providing the month/dates in ⌐⌐⌐. Then, fill in ( ) with the Japanese words for the terms provided. Use **hiragana only**.

9 SEPTEMBER   a. ⌐_____ がつ⌐

SUNDAY	MONDAY	TUESDAY	WEDNESDAY	THURSDAY	FRIDAY	SATURDAY
				1 b.	2 c.	3 d.
4 e.	5 f.	6 g.	7 h.	8 i.	9 j.	10 k.
11	12 l.	13	14 m.	15	16	17
18	19 n.	20 o.	21	22	23	24
25	26	27 p.	28	29	30	

last month   this month   next month

q.(   )   r.(   )   s.(   )

じょしのれんしゅう｜Particle practice

Fill in ( ) with the appropriate particles.

1）この公園からきれいな山 a.(   ) 見えます。それから、鳥の声 b.(   ) 聞こえます。
　　こうえん　　　　　　やま　　　　　み　　　　　　　　　　　とり　こえ　　　　　き

2）このレストランはとても人気（   ）あります。
　　　　　　　　　　　　　　　にんき

3）日本に行って、京都（   ）観光しました。
　　にほん　い　　きょうと　　　かんこう

ぶんぽうのれんしゅう │ Grammar practice

 できるⅠ

★① Choose the appropriate verb between います and あります。

G1 1) 神社が［a. います　b. あります］。
じんじゃ

2) 鳥が［a. います　b. あります］。
とり

3) 花が［a. います　b. あります］。
はな

4) 有名な人が［a. います　b. あります］。
ゆうめい

5) 学生が［a. います　b. あります］。

6) 海が［a. います　b. あります］。
うみ

★② You are shopping at a flea market. When you visit the vendor below again one hour later, four items are gone. Identify four items that are still there and four items that are gone.

G1

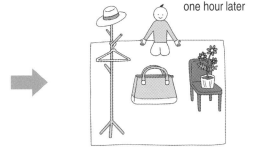

one hour later

remaining items

Ex.1　<u>かばんがあります</u>。

1) _____ 。

2) _____ 。

3) _____ 。

sold items

Ex.2　あ、<u>自転車がありません</u>。

4) あ、_____ 。

5) あ、_____ 。

6) あ、_____ 。

★③ A and B are walking on the street, sharing what they find along the way. Based on the picture below, choose the appropriate location words to complete the conversation.

G2

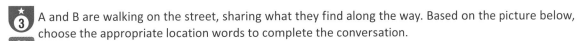

A：あ、本屋の［a. 前　b. 上　c. 下］にネコがいますよ。
　　　　ほんや　　まえ　　うえ　　した

B：そうですね。あ、本屋と美術館の［a. 前　b. 中　c. 間］に神社がありますね。
　　　　　　　　　ほんや　びじゅつかん　まえ　　なか　　あいだ　　じんじゃ

A：古い神社ですね。あ、見てください。美術館の［a. 中　b. 上　c. となり］に鳥がいますよ。
　ふる　じんじゃ　　　　み　　　　　　　びじゅつかん　なか　　うえ　　　　　　　とり

B：きれいな鳥ですね。美術館の［a. 右　b. 左　c. 中］に人がたくさんいますね。
　　　　　とり　　　　びじゅつかん　みぎ　ひだり　なか

A：ええ、それから、美術館の［a. 右　b. となり　c. 横］に新しい病院がありますよ。
　　　　　　　　　びじゅつかん　みぎ　　　　　　よこ　あたら　びょういん

★★★
4 Draw a picture or paste a photo of your own or ideal room, and describe three things in it including
their locations. (See #5 on p.171 of *TOBIRA I*.)
G1,G2

Attach or draw a picture.	_____
	_____
	_____
	_____
	_____

できるⅡ

★
5 Describe the following sites in Kyoto to someone who does not know much about them. Fill in __ using
the "X という Y" structure.
G3

Ex.	1)	2)	3)	4)
鴨川 かもがわ	金閣寺 きんかくじ	伏見稲荷大社 ふしみ いなりたいしゃ	男山 おとこやま	京都シネマ きょうと

Ex. 京都に「鴨川」<u>という川が</u>あります。みんなこの川の近くでよくデートします。
　　 きょうと　　かもがわ　　　　かわ　　　　　　　　　　　　　　かわ　ちか

1）京都に「金閣寺」_____があります。とてもきれいなお寺です。
　　きょうと　きんかくじ　　　　　　　　　　　　　　　　　　　　　　　てら

2）京都に「伏見稲荷大社」_____があります。とても有名な神社です。
　　きょうと　ふしみ いなりたいしゃ　　　　　　　　　　　　　　　　　　　　ゆうめい　じんじゃ

3）京都に「男山」_____。山の上に神社があります。
　　きょうと　おとこやま　　　　　　　　　　　　　　　やま　うえ　じんじゃ

4）京都に「京都シネマ」_____。小さいですが、いい映画館です。
　　きょうと　きょうと　　　　　　　　　　　　　　　　　　　　　　　　えい が かん

★★
6 Fill in __ with your own information to complete your profile. Use the "X という Y" structure where
appropriate.
G3

Ex.1 私の出身はインドネシア (Indonesia) のマランという町です。とてもいい町です。
　　　しゅっしん　　　　　　　　　　　　　　　　　　　まち　　　　　　　まち

Ex.2 私の出身はニューヨークです。とても楽しい町です。
　　　しゅっしん　　　　　　　　　たの　まち

1）私の出身は_____です。
　　しゅっしん

　　_____。

2）私の{高校／大学}は_____です。
　　こうこう

　　_____。

3）私は_____という_____屋（Exs. ピザ屋, パン屋, ケーキ屋）が好きです。
　　　　　　　　　　　　　　　　　　　　　　や　　　　　　や　　や　　　や　　す

　　_____。

★7 Match the reasons on the left with the corresponding consequences on the right.

G4
1）明日は母の誕生日ですから、   •
   • このアパートは便利 (convenient) です。

2）勉強しませんでしたから、   •
   • テスト (test) がよくなかったです。

3）私の町に映画館がありませんから、•
   • 花を買います。

4）となりにコンビニがありますから、•
   • ネットで映画を見ます。

5）夜、車の音が聞こえますから、   •
   • うるさいです。

Lesson 5

★★8 Choose the most logical sentence between a and b.

G4
1）a.「清水寺」というお寺を観光しましたから、有名です。

   b. 有名ですから、「清水寺」というお寺を観光しました。

2）a. ホテルの部屋に小さいキッチンがありましたから、部屋で晩ご飯を作りました。

   b. 部屋で晩ご飯を作りましたから、ホテルの部屋に小さいキッチンがありました。

3）a. 本屋でプレゼント (present) を買いましたから、昨日は姉の誕生日でした。

   b. 昨日は姉の誕生日でしたから、本屋でプレゼントを買いました。

4）a. このりょうは部屋からきれいな山が見えますから、人気があります。

   b. 人気がありますから、このりょうは部屋からきれいな山が見えます。

9 Practice giving recommendations.

G4

★★ **Step 1** Complete the sentences with your own recommendations.

1）日本語のクラスは_____から、おすすめです。

2）『_____』という映画は_____から、おすすめです。

3）「_____」というレストランは_____から、おすすめです。

4）「_____」という_____は_____から、おすすめです。

★★★ **Step 2** You are talking with your friend about something you recommend. Complete the dialogue based on your own information. (See #3 on p.172 of *TOBIRA I*.)

A : _____、おすすめです。
                  [reason]

B : _____。

A : _____。

B : _____。

Class: _____ Name: _____

10 G5 Describe what you did over the weekend by completing the sentences below. Use the cues in 【 】 as in the example. Fill in ( ) with the appropriate particles.

Ex.【○タオさん ○アイさん ×マークさん】

→ 週末、___タオさん___（に）会いました。それから、___アイさん___（に）（も）会いました。でも、___マークさん___（に）（は）会いませんでした。

1)【○サッカーの試合 ○ラグビーの試合 ×テニスの試合】

週末、_____（ ）見ました。それから、_____（ ）見ました。でも、_____（ ）見ませんでした。

2)【○本屋 ○花屋 ×コンビニ】

週末、_____（ ）行きました。それから、_____（ ）（ ）行きました。でも、_____（ ）（ ）行きませんでした。

3)【○兄 ○弟 ×友達】

週末、_____（ ）話しました。それから、_____（ ）（ ）話しました。でも、_____（ ）（ ）_____。

4)【○友達のうち ○カフェ ×レストラン】

週末、_____（ ）ご飯を食べました。それから、_____（ ）（ ）_____。でも、_____（ ）（ ）_____。

5)【your own】

週末、_____。それから、_____。でも、_____。

11 G5 Practice describing your favorite place.

Step 1 Fill in ( ) with the appropriate particles.

この町に「ピース」というカフェ a.（ ）あります。ピース b.（ ）c.（ ）おいしいケーキがたくさんありますから、とても人気 d.（ ）あります。ピース e.（ ）f.（ ）みんなよくチーズケーキ (cheesecake) を食べます。とてもおいしいですから、おすすめです。

Step 2 Using the passage in Step 1 as a model, write about a place you like (either real or fictional).

_____
_____
_____

58

Class: _____   Name: _____

できるⅢ

⑫ Fill in __ to explain in which countries the following animals can be found in the wild. Fill in ( ) with the appropriate particles.

G6

1）パンダは中国（　　　　）います。

2）ライオンはインド（　　　）います。それから、_____（　　）（　　）います。

3）コアラは_____（　　　）_____。でも、日本（　　）（　　）いません。

4）ゾウは_____（　　　）_____。

それから、_____（　　）（　　）_____。

でも、_____（　　）（　　）_____。

ゾウ

Lesson 5

⑬ Describe where things are in your city and house based on the cues provided.

G1,G6 **Ex.** my house / a cat named Tama / usually under the bed

→ 私のうちに「タマ」というネコがいます。タマはたいていベッドの下にいます。

1）my apartment / a dog named Pochi / usually on the sofa

_____。

2）my city / café called Picaso（ピカソ）/ in the art museum

_____。

3）my city / hotel called Fuji / next to a big temple

_____。

4）your own

_____。

⑭ You are talking about your hometown with your friend. Complete the dialogue with your own information.

G1-G6

Friend： 出身はどこですか。

You　：1)_____。

Friend：そうですか。2)_____には何がありますか。
　　　　　　　　　　　　[your answer above]

You　：3)_____

　　　　　_____
　　　　　[Describe your hometown in detail in your answer.]

Friend：そうですか。4)_____。
　　　　　　　　　　　　　　[comment]

59

You are looking for a parking space with your friend. Choose the most appropriate words from [　].

G7

1) A：どこにしましょうか。

B：[a. さんびき　b. さんまい　c. さんがい] はどうですか。

A：そうしましょう。

- -

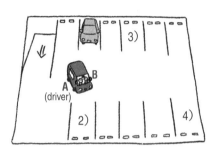

2) A：どこにしましょうか。

B：[a. ここ　b. そこ　c. あそこ] にしましょう。

3) A：どこにしましょうか。

B：[a. ここ　b. そこ　c. あそこ] にしましょう。

4) A：どこにしましょうか。

B：[a. ここ　b. そこ　c. あそこ] にしましょう。

 Fill in __ to give your new neighbor, Tanaka-san, a recommendation.

G1-G7

Tanaka：この町に 1)_____がありますか。
　　　　　　まち　　　[place of your choice: Exs. delicious pizza restaurant (ピザ屋), beautiful park]

You　　：はい、ありますよ。私のおすすめは 2)_____です。
　　　　　　　　　　　　　　　　　　　　　　　　　　"~ called ~"

Tanaka：そうですか。3)_____か。
　　　　　　　　　　　[Ask where it is. (Do not use どこですか.)]

You　　： 4)_____。

Tanaka：そうですか。じゃ、週末に行きます。ありがとうございます。
　　　　　　　　　　しゅうまつ　い

できるⅣ

⑰ Describe what Tanaka-san has using the cues provided.

G8　**Ex.1** dog　　田中さんはイヌがいます。
　　　　　　　　　 たなか

　　Ex.2 one dog　田中さんはイヌが１ぴきいます。
　　　　　　　　　　　 たなか

1）older sister　　田中さんは_____。
　　　　　　　　　 たなか

2）no younger brother　_____。

3）three cats　　　_____。

4）a lot of money　_____。

★★
18 Answer the questions based on your own information **in detail**.

G8 **Ex.** Q：○○さんはペットがいますか。

A：はい、ネコが１ぴきいます。名前はタマです。
<small>な まえ</small>

1）Q：○○さんはペットがいますか。

A：＿＿＿＿＿＿＿＿＿＿＿＿＿＿＿＿＿＿＿＿＿＿＿＿＿＿＿＿＿＿＿＿。

2）Q：ご兄弟がいますか。
<small>きょうだい</small>

A：＿＿＿＿＿＿＿＿＿＿＿＿＿＿＿＿＿＿＿＿＿＿＿＿＿＿＿＿＿＿＿＿。

3）Q：明日クラスがいくつありますか。
<small>あした</small>

A：＿＿＿＿＿＿＿＿＿＿＿＿＿＿＿＿＿＿＿＿＿＿＿＿＿＿＿＿＿＿＿＿。

★
19 Answer the questions about dates and holidays. Write your answers in **hiragana**.

Ex. Q ：クリスマスは何月何日ですか。
<small>なんがつなんにち</small>

A ：じゅうにがつにじゅうごにちです。

1）Q：バレンタインデーは何月何日ですか。
<small>なんがつなんにち</small>

A：＿＿＿＿＿＿＿＿＿＿＿＿＿＿＿＿＿＿＿＿＿＿＿＿＿＿＿＿＿＿＿＿。

2）Q：今日は何月何日ですか。何曜日ですか。
<small>きょう　　なんがつなんにち　　　なんようび</small>

A：＿＿＿＿＿＿＿＿＿＿＿＿＿＿＿＿＿＿＿＿＿＿＿＿＿＿＿＿＿＿＿＿。

3）Q：誕生日はいつですか。(year, month, day)
<small>たんじょうび</small>

A：＿＿＿＿＿＿＿＿＿＿＿＿＿＿＿＿＿＿＿＿＿＿＿＿＿＿＿＿＿＿＿＿。

★
20 Describe the events in the following schedule as in the example. Write the **dates in hiragana**.

G9 **Ex.** 5/10 concert in the basement of the art museum

1）6/2 birthday party on the third floor of the hotel

2）7/7 anime event at the movie theater

3）[your own] date: ＿ / ＿ event & location: ＿＿＿＿＿＿＿＿＿＿

Ex. ごがつとおかに美術館の地下でコンサートがあります。
<small>びじゅつかん　　ちか</small>

1）＿＿＿＿＿＿＿＿＿＿＿＿＿＿＿＿＿＿＿＿＿＿＿＿＿＿＿＿＿＿＿＿。

2）＿＿＿＿＿＿＿＿＿＿＿＿＿＿＿＿＿＿＿＿＿＿＿＿＿＿＿＿＿＿＿＿。

3）＿＿＿＿＿＿＿＿＿＿＿＿＿＿＿＿＿＿＿＿＿＿＿＿＿＿＿＿＿＿＿＿。

Class: _____   Name: _____

21 Fill in ( ) with the most appropriate particles. Note that two particles may be necessary.

私の 出 身は熊本という 所 です。
しゅっしん　くまもと　　ところ

熊本 a.(　　　) 九 州 b.(　　　) あります。
くまもと　　　　きゅうしゅう

熊本 c.(　　　) きれいなお城 (castle) d.(　　　) あります。
くまもと　　　　　　　　　しろ

それから、「くまモン」というキャラクター e.(　　　) います。

くまモンはとても人気 f.(　　　) あります。
にんき

くまモンはお城にいます。公園 g.(　　　) います。
しろ　　　　こうえん

それから、３月に熊本 h.(　　　) くまモンの誕 生 日パーティー i.(　　　) あります。
くまもと　　　　　　　　　　　たんじょうび

九 州
きゅうしゅう

熊本県
くまもとけん

県 : prefecture
けん

まとめのれんしゅう｜Comprehensive practice

22 You are inviting your friend to a soccer match. Complete the conversation based on the cues provided. Fill in ( ) with the appropriate particles.

You ：あのう、土曜日に 1)_____。
　　　　　　　　　　　[Ask if your friend has time.]

Friend：えっと、2)_____が、
　　　　　　　"have a lot of homework"

　　　　午後は 3)_____。
　　　　ごご　　　　"have time"

You ：そうですか。あの、4)_____、いっしょにサッカーの試合に行きませんか。
　　　　　　　　"if you like"　　　　　　　　　　　　しあい　い

Friend：すみません、5)_____、ちょっと…
　　　　　　　"don't have money" [Give a reason.]

You ：6)_____よ。いっしょに行きましょう。
　　　　　"have two tickets"　　　　　　　　　　　　　　　い

Friend：そうですか。ありがとうございます。試合はどこ a.(　　　) ありますか。
　　　　　　　　　　　　　　　しあい

You ：とびらスタジアム (stadium) b.(　　　) あります。

Friend：え、とびらスタジアム？　あの、とびらスタジアム c.(　　　) どこ d.(　　　) ありますか。

You ：とびら公園 e.(　　　) 中 f.(　　　) ありますよ。
　　　　こうえん　　　　なか

Friend：ああ、そうですか。

You ：じゃ、土曜日の１時 g.(　　　) スタジアムの前 h.(　　　) 会いましょうか。
　　　　　　　　　　　　　　　まえ　　　　　　あ

Friend：分かりました。じゃ、土曜日に。
　　　わ

Class: _____   Name: _____

きくれんしゅう | Listening practice

1 Listen to the short sentences and write down the birthdays (year, month, date) in Arabic numerals. 🔊 **L5-1**

1) _____ / _____   2) _____ / _____   3) _____ / _____

4) _____ / _____ / _____   5) _____ / _____ / _____   6) _____ / _____ / _____

2 While looking at the map, listen to the three conversations. Each conversation includes a beep indicating a missing place. Then, listen to choices a, b, and c and circle the letter for the missing place.

🔊 **L5-2**   Lesson **5**

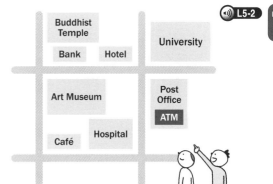

1) a   b   c

2) a   b   c

3) a   b   c

3 Lee-san (female) is looking for a new apartment and asking Tanaka-san (male) and Yamada-san (male) about their apartments. Listen to their conversations and answer the questions that follow. 🔊 **L5-3**

1) What is in and around their apartments? Check all that apply.

Tanaka-san's apartment		Yamada-san's apartment	
☐ university	☐ convenience store	☐ movie theater	☐ park
☐ art museum	☐ bank	☐ art museum	☐ post office
☐ hospital	☐ restaurants	☐ hospital	☐ temple
- -		- -	
☐ students	☐ cats	☐ old living room	☐ small bathroom
		☐ old kitchen	☐ small windows

2) Which apartment is closer to the university? Circle one: a. Tanaka-san's   b. Yamada-san's

3) If you were to choose between Tanaka-san's and Yamada-san's apartments, which one would you choose to live in and why? You may answer in English.

_____

4 Tom (male) is talking with Kim-san (female) about this coming weekend. Listen to their conversation and mark ○ if the statement is true and ✕ if it is false. 🔊 **L5-4**

1) (   ) Kim-san has to pay for a concert ticket.

2) (   ) There will be a concert at a café.

3) (   ) They will eat lunch before the concert.

4) (   ) They will meet inside the café.

63

Lesson 6

今みんなで探しています。
We are all looking for him now.

たんごのれんしゅう | Vocabulary practice

1 Match the verbs from the boxes with their corresponding pictures.

いう　だす　れんしゅうする　おぼえる　みせる　おしえる

1) _____　2) _____　3) _____　4) _____　5) _____　6) _____

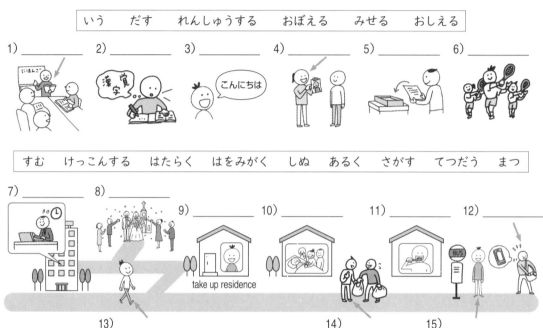

すむ　けっこんする　はたらく　はをみがく　しぬ　あるく　さがす　てつだう　まつ

7) _____　8) _____

9) _____　10) _____　11) _____　12) _____

take up residence

13) _____　14) _____　15) _____

2 Choose the appropriate color words from the box to describe the pictured animals and objects.

a. あか　b. きいろ　c. くろ　d. しろ　e. ちゃいろ　f. あお　g. みどり

Ex. __d__　1) ___と___　2) ___と___　3) ___と___　4) ___　5) ___

sky

3 Match each picture with its corresponding noun(s) and related verb as in the example.

Ex. ・ ぼうし ・ ・ かける

1) ・ ・ かばん ・――――・ もつ

2) ・ ・ セーター・Tシャツ・ふく ・ ・ はく

3) ・ ・ ネクタイ・とけい・ピアス ・ ・ きる

4) ・ ・ めがね・サングラス ・ ・ かぶる

5) ・ ・ くつ・ジーンズ・スカート ・ ・ する

64

4 Provide the Japanese term for each part of the body in hiragana.

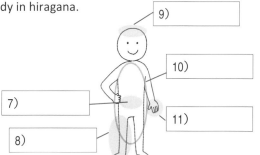

1)
2)
3)
4)
5)
6)
7)
8)
9)
10)
11)

5 Match the words on the left with their opposites on the right.

Ex. うまれる (to be born) • • せがひくい

1) しつもんする • • しぬ

2) すわる • • たつ

3) ふとる • • みじかい

4) ながい • • やせる

5) せがたかい • • こたえる

6 Arrange the duration words in the box from shortest to longest.

a. ふつか（かん）	b. ごねん（かん）
c. はっしゅうかん	d. いちにち
e. じ（ゅ）っかげつ（かん）	

shortest   longest

_____ _____ _____ _____ _____

7 Match the phrases for time counters in the box with their corresponding pictures.

| a. じ（ゅ）っかい | b. ななかい | c. いっかい | d. きゅうかい | e. はちかい／はっかい |
| f. ろっかい | g. にかい | h. ごかい | i. よんかい | j. さんかい |

1) ___
2) ___
3) ___
4) ___
5) ___
6) ___
7) ___
8) ___
9) ___
10) ___

じょしのれんしゅう｜Particle practice

Fill in ( ) with the appropriate particles. You may use the same particle more than once.

1) 先生は学生の質問（　　）答えます。

2) 学生は宿題（　　）出します。

3) 妹は私の友達（　　）結婚します。

4) 東京で家（　　）探します。

5) 両親 a.（　　）旅行の写真 b.（　　）見せます。

6) バス（　　）待ちます。

7) コンピュータの会社（　　）働きます。

8) いす（　　）座ります。

9) 私は友達 a.（　　）宿題 b.（　　）手伝います。

10) ベンさんは漢字（　　）あまり知りません。

11) 近くの公園（　　）散歩します。

12) 先生は学生 a.（　　）新しい漢字 b.（　　）教えます。

ぶんぽうのれんしゅう | Grammar practice

できるⅠ

★①
G1

Fill in the conjugation rule for the *te*-form of each verb category using the *te*-form song for reference. Then, complete the table with the *te*-forms for each verb in hiragana.

	Conjugation rule for the *te*-form	Dictionary form	*Te*-form
Ru-verbs	Change _____ to ____.	たべる	たべて
		ねる	
		みる	
		みせる	
		おぼえる	
		きる (to put on)	
U-verbs	*U*-verbs ending with う / つ / る: Change う / つ / る to _____.	かう (to buy)	かって
		いう	
		まつ	
		かえる	
		すわる	
		しる	
	U-verbs ending with む / ぶ / ぬ: Change む / ぶ / ぬ to _____.	のむ	のんで
		すむ	
		あそぶ	
		しぬ	
	U-verbs ending with す: Change す to _____.	はなす	
		さがす	
	U-verbs ending with く: Change く to _____.	かく	かいて
		あるく	
		いく　(exception)	
	U-verbs ending with ぐ: Change ぐ to _____.	およぐ	
Irregular verbs		する	
		くる	

② You are living with リマインダーくん, an AI robot, who reminds you what you need to do. Complete
the following reminders by filling in __ with the *te*-forms of the appropriate verbs from the boxes.
G2 You may use each word only once.

At home					
そうじする　起きる　みがく　飲む　食べる　見る					
	お		の	た	み

Ex. 朝７時です。＿＿＿起きて＿＿＿ください。
　　　あさ　　　　　　　　お

1) 朝ご飯を＿＿＿＿＿＿＿＿ください。
　　あさ　はん

2) ニュースを＿＿＿＿＿＿＿ください。

3) 歯を＿＿＿＿＿＿＿＿ください。
　　は

4) 水をたくさん＿＿＿＿＿＿＿ください。

5) 今日友達が来ますから、部屋を
　　　　ともだち　き　　　　　　　へや
　　＿＿＿＿＿＿＿＿ください。

At school				
覚える　書く　練習する　行く　出す				
おぼ	か	れんしゅう	い	だ

6) 明日単語のテストがありますから、単語を
　　　　たんご　　　　　　　　　　　　　　たんご
　　＿＿＿＿＿＿＿＿ください。

7) ９時にクラスに＿＿＿＿＿＿＿ください。

8) クラスの後で、宿題を＿＿＿＿＿ください。
　　　　　　あと　しゅくだい

9) 先生にメールを＿＿＿＿＿＿＿ください。

10) 来週テニスの試合がありますから、
　　らいしゅう　　　　しあい
　　＿＿＿＿＿＿＿＿ください。

③ The following is what Smith-san will do today.

★ **Step 1** Describe his activities by combining two or more verbs (or verb phrases) using *te*-forms.
G3

1)

スミスさんは７時に＿＿＿起きて＿＿＿、歯を＿＿＿みがきます＿＿＿。
　　　　　　　　　　　　　　お　　　　　は

それから、朝ご飯を＿＿＿＿＿＿＿＿＿＿、学校に＿＿＿＿＿＿＿＿＿＿。
　　　　　あさ　はん　　　　　　　　　　　　がっこう

2)
　memorize　｜meet　　take a walk　

クラスの後で、図書館に＿＿＿＿＿＿＿＿＿、漢字を＿＿＿＿＿＿＿＿＿。
　　　　あと　　としょかん　　　　　　　　　　かんじ

それから、友達と＿＿＿＿＿＿＿＿＿＿、いっしょに＿＿＿＿＿＿＿＿＿＿。
　　　　　ともだち

3)

それから、公園に＿＿＿＿＿＿＿、ベンチに＿＿＿＿＿＿＿、本を＿＿＿＿＿＿＿。
　　　　　こうえん　　　　　　　　　　　　　　　　　　　ほん

★★ [Step 2] Write about things you did and will do at each point in time below. Connect two or more verbs using *te*-forms.

1) 先週の週末、_____。
　　せんしゅう　しゅうまつ

2) 今日、_____。

3) 明日、_____。

できるⅡ

★
④
G4

Tanaka-san's family is having a picnic in the park. Describe what they are doing by filling in __ with the appropriate verbs from the box, using 〜ています.

探す	見せる	歩く	散歩する	食べる	寝る	読む	乗る	待つ	飲む
さが	み	ある	さんぽ	た	ね	よ	の	ま	の

Ex. 田中さんはパンを_____食べています_____。
　　　　　　　　　　　　た

1) 田中さんのおばあさんはお茶を_____。
　　　　　　　　　　　　　　　　ちゃ

2) 田中さんのおじいさんはめがねを_____。

3) 田中さんのおじさんはハンモックで_____。

4) 田中さんのおばさんはベンチに座って、本を_____。
　　　　　　　　　　　　　　　　　　すわ　　ほん

5) おばさんの子どもははだしで (barefoot) _____。

6) 田中さんのお父さんはお母さんを_____。
　　　　　　　　とう　　　かあ

7) 田中さんの弟さんはスケートボードに_____。
　　　　　　　おとうと

8) 田中さんのお兄さんはイヌと_____。
　　　　　　　にい

9) 田中さんのお姉さんは妹さんにスマホの写真を_____。
　　　　　　　ねえ　　いもうと　　　　しゃしん

68

★★
5 Answer the questions based on your own information.

G4 1）今、どこでこの宿題をしていますか。
しゅくだい

_____。

2）昨日の午後４時ごろ、何をしていましたか。[Include "with whom" and "where" if applicable.]
きのう　ごご

_____。

3）今朝７時ごろ、何をしていましたか。[Include "with whom" and "where" if applicable.]
けさ

_____。

できるⅢ

★
6 Describe the resultant state after each action as in the example.

G4

Action		Resultant state	

Ex.

漢字を覚えました　　漢字を覚えています
かんじ　おぼ　　　　かんじ　おぼ

1）

いすに座りました　　いすに_____
すわ

2）

やせました　_____

3）

結婚しました　　_____
けっこん

★
7 Choose the most appropriate verb forms from [ ] to complete the sentences.

G4 1）A：田中さんの家はどこですか。大学の近くですか。
いえ　　　　　　　　だいがく　ちか

　　B：はい。「アルデン」というアパートに［a. 住みます　b. 住んでいます　c. 住みました］。
す　　　　　　す　　　　　　　す

2）A：仕事は何をしていますか。
しごと

　　B：銀行で［a. 働きます　b. 働いています　c. 働いていました］。
ぎんこう　　はたら　　　　　はたら　　　　　　はたら

3）A：にゃんたは［a. やせます　b. やせています　c. やせました］か。

　　B：いいえ、［a. 太っています　b. 太ります　c. 太りました］。先週もご飯をたくさん
ふと　　　　　　　ふと　　　　　　ふと　　　　せんしゅう　　はん

　　食べましたから、２キロ［a. 太っています　b. 太ります　c. 太りました］。
た　　　　　　　　　　　ふと　　　　　　　ふと　　　　　　ふと

4）A：マークさんという人を［a. 知ります　b. 知りました　c. 知っています］か。
し　　　　　　し　　　　　　　し

　　B：いいえ、［a. 知りません　b. 知りませんでした　c. 知っていません］。この大学の学生ですか。
し　　　　　　し　　　　　　　　　し　　　　　　　だいがく　がくせい

Class: _____ Name: _____

8 **G4** Based on the picture, describe what each person is wearing. Fill in __ with the appropriate verbs from the box, using 〜ています, and provide the color of each item in【 】. You may use the same verb more than once.

| 着る | はく | かぶる | かける | する | 持つ |
| き | | | | | も |

1) お父さんは【　　　　】スーツを_____、
　　き
　　【　　　　】ネクタイを_____。

　　それから、めがねを_____。

2) お母さんは【　　　　】スカートを_____、
　　かあ
　　【　　　　】くつを_____。

　　それから、【　　　　】ネックレスを_____。

3) 子どもは【　　　　】ぼうしを_____、【　　　　】かばんを_____。

green　yellow　white
blue　black
red
brown

9 Practice introducing a friend or a family member.

Step 1 Introduce your older sister by completing the sentences based on the information provided. Fill in ( ) with the appropriate particles and【 】with the indicated colors.

Ex.
1) Sydney
2) POST OFFICE

3) wears a blue jacket and a brown skirt at work
4) carries a red bag
5) knows many J-POP songs
6)

white

Ex. 姉は結婚しています。
　　あね　けっこん

1) 姉はオーストラリアのシドニー（　　）_____。
　　あね

2) そして、郵便局（　　）_____。
　　　　ゆうびんきょく

3) 姉は仕事では、【　　　　】ジャケット（　　）_____、
　　あね　しごと
　　【　　　　】スカート（　　）_____。

4) 姉はいつも【　　　　】かばん（　　）_____。
　　あね

5) J–POPの歌（　　）たくさん_____。
　　　　　　うた

6) それから、姉には「シロ」という【　　　　】イヌがいます。
　　　　　　　あね

　　シロはたくさん食べますから、_____。
　　　　　　　　た

★★★ [Step 2] Write about a friend or a family member you would like to introduce.

| Information to include | residence | workplace / school | clothing | possession | knowledge |

Person you have chosen: _____

_____

_____

_____

_____

★★
10 Answer the questions based on your own information.

G4 1）今日はどんな服を着ていますか。
　　　　　　ふく　き

_____

2）今、どこに住んでいますか。子どもの時はどこに住んでいましたか。
　　　　　　す　　　　　　　　　　　　　　　　　　　す

_____

3）日本のアニメを知っていますか。『サザエさん』(Sazae-san) というアニメを知っていますか。
　　にほん　　　　　し

_____

★
11 Describe the physical characteristics of the following animals and people by filling in __ with parts of
the body and ( ) with the appropriate particles. Do not use の. For 4), describe yourself, a friend, or a
G5 family member and provide a picture.

1）　コアラ（　　　）耳（　　　）大きいですが、手と足（　　　）短いです。
　　　　　　　　　　みみ　　　　　　　　　　　　て　あし　　　　　　みじか
　　　それから、鼻（　　　）黒いです。コアラ（　　　）目（　　　）かわいいです。
　　　　　　　　はな　　　くろ　　　　　　　　　　　　め

2）　パンダ（　　　）_____と_____（　　　）黒いです。
　　　　　　　　　　　　　　　　　　　　　　　　くろ
　　　それから、_____と_____（　　　）黒いです。
　　　　　　　　　　　　　　　　　　　　くろ
　　　でも、_____と_____（　　　）白いです。
　　　　　　　　　　　　　　　　　　しろ

3）175cm　ルイさんは_____（　　　）高いです。それから、_____（　　　）長いです。
　　　　　　　　　　　　　　　　　たか　　　　　　　　　　　　　　　　　　なが
　IQ145　そして、めがね（　　　）かけています。
　　　ルイさんは_____（　　　）いいです。

4）

_____

_____

★★★
⑫ Describe your pet or favorite character and provide a picture. (See #4 on p.211 and #2 on p.254 of *TOBIRA I*.)

G5

Draw or paste a picture of your pet/favorite character.
Name of your pet/favorite character: _____

Information to include: what it wears, physical, characteristics, other details

_____

_____

_____

_____

できるⅣ

★
⑬ Complete the responses from アクティブ (active) さん and
レイジー (lazy) さん .

G6

アクティブ   レイジー

1) 先生　　　：もうレッスン６の単語を全部覚えましたか。
　　　　　　　　たんご　ぜんぶおぼ

　アクティブ：はい、もう_____。

　レイジー　：いいえ、まだ_____。

2) 先生　　　：もうレッスン６の作文 (essay) を書きましたか。
　　　　　　　　さくぶん　　　　　　か

　アクティブ：はい、_____。

　レイジー　：いいえ、_____。

3) 先生　　　：もうレッスン６の漢字を練習しましたか。
　　　　　　　　かんじ　れんしゅう

　アクティブ：はい、_____。

　レイジー　：いいえ、_____。

4) 先生　　　：もうレッスン６の宿題を全部出しましたか。
　　　　　　　　しゅくだい　ぜんぶだ

　アクティブ：はい、_____。

　レイジー　：いいえ、_____。

★★
⑭ Answer the questions based on your own information.

G6
1) もうレッスン６の漢字を全部覚えましたか。
　　　　　　　かんじ　ぜんぶおぼ

_____。

2) もうレッスン６の文法 (grammar) のビデオ (video) を全部見ましたか。
　　　　　　　ぶんぽう　　　　　　　　　　　　　　ぜんぶみ

_____。

★★
15 Choose the most appropriate words from [ ] to complete the conversation.

G6 アイ：ベンさん、こんにちは。明日の数学の宿題を 1)[a. もう　b. まだ] 出しましたか。

ベン：あ、アイさん、こんにちは。はい、2)[a. もう　b. まだ] 出しましたよ。

アイ：あ、そうですか。

　　　私は 3)[a. もう　b. まだ] 4)[a. 出しませんでした　b. 出していません　c. 出しません]…。

　　　今からします。

ベン：そうですか。でも、今もう12時半ですよ。いっしょに昼ご飯を食べませんか。

アイ：あ、私は11時ごろ朝ご飯を食べましたから、

　　　今日は昼ご飯を 5)[a. 食べません　b. 食べていません　c. 食べませんでした]。

ベン：そうですか。私は今朝、朝ご飯を 6)[a. 食べません　b. 食べていません　c. 食べませんでした]

　　　から、食堂に行きます。じゃ、また。

アイ：じゃ、また明日。

できるV

★
16 Write how often or how long Sato-san does the following activities using the frequency phrases provided.

G7

1）three times a day　　佐藤さんは_____歯をみがきます。

2）once every two days　佐藤さんは_____せんたくします。

3）40 hours a week　　　佐藤さんは_____働きます。

4）30 minutes a day　　 佐藤さんは_____公園を散歩します。

★★
17 Write how often or how long you do the following activities using the cues provided. For 5) and 6), write about other activities you do.

Ex. times / day　　　　　私は_____一日に三回_____ご飯を食べます。

1）times / week　　　　　私は_____部屋をそうじします。

2）times / month　　　　私は_____映画を見ます。

3）minutes or hours / week 私は_____本を読みます。

4）hours / day　　　　　　私は_____寝ます。

5）your own (frequency)　_____。

6）your own (duration)　　_____。

Class: _____   Name: _____

⭐⭐⭐
(18) You, Chris, and Mia are getting together at a café to study for the Japanese test next Monday. Complete the dialogue using the cues provided. Provide the appropriate particles in (   ).

<Chris is already at the café and is looking at his smartphone.>

You ：クリスさん！　こんにちは。1)_____。
　　　　　　　　　　　　　　　　　　　　　[Ask Chris what he's looking at.]

Chris：あ、〇〇さん、こんにちは。友達のSNSを見ています。
　　　　　　　　　　　　　　　　ともだち　　　　み

You ：そうですか。その人はだれですか。2)_____、3)_____ですね。
　　　　　　　　　　　　　　　　　　　　　　　"is wearing a suit (スーツ) and cool"

Chris：友達のジェイさんです。シンガポール (Singapore) a.(　　) 4)_____、
　　　　ともだち　　　　　　　　　　　　　　　　　　　　　　　"lives in"

　　　　DBS 5)_____。
　　　　　　　　　　　"works at a bank called DBS"

You ：DBS？　OCBCは 6)_____が、DBSは 7)_____。
　　　　　　　　　　　　　[Tell him that you know OCBC, but you don't know DBS.]

　　　　あのう、クリスさんはジェイさんとよく話しますか。
　　　　　　　　　　　　　　　　　　　　　　　　　はな

Chris：8)_____ b.(　　) 9)_____話します。
　　　　　　　"about three times a week"　　　　　　　　　　　　　　はな

　　　　10)_____、１時間ぐらい話します。
　　　　　　　"Because Jay's stories are always interesting"　　　　　　　はな

<Mia hasn't arrived yet. Chris calls her to see where she is.>

Chris：あ、もしもし、ミアさん？　今、どこですか。

Mia ：ああ、家です。すみません、11)_____。今、行きます。
　　　　　　　いえ　　　　　　　　　　　　"was sleeping"　　　　　　　　い

<Chris tells you what Mia said.>

Chris：ミアさんは今、来ます。ところで (by the way)、12)_____
　　　　　　　　　　き　　　　　　　　　　　[Asks if you have already memorized the new kanji in L6]

You ：いいえ、13)_____。
　　　　　　　　　　"haven't memorized (them) yet"

　　　　だから、この漢字が分かりません。14)_____。
　　　　　　　　　かん じ　わ　　　　　　　　　[Ask Chris to teach you.]

Chris：私も 15)_____。
　　　　　　　　　"haven't studied that kanji yet, either, so I don't know"

　　　　ミアさんに聞きましょう！
　　　　　　　　　き

74

きくれんしゅう | Listening practice

1 Listen to sentences 1)-3) and write them down. Use katakana and kanji where applicable. 🔊 **L6-1**

1) _____

2) _____

3) _____

2 Listen to the conversations between classmates. Each conversation will end with a beep, indicating a missing line. Then, listen to statements a, b, and c and circle the most appropriate statement for the missing line. 🔊 **L6-2**

1) a   b   c   2) <They are looking at a picture.> a   b   c   3) a   b   c

3 Listen to the conversation between May (female), an international student, and Ren (male), her homestay brother.

☐ They are talking about May's family. Summarize what you hear in the table below in English.

バスケットボール: basketball   🔊 **L6-3**

May's family	Current job	Characteristics	Favorite activity and how often/long they do it
Grandfather			
Father			

☑ They continue talking about May's family photo. Mark ◯ if the statement is true and ✕ if it is false. 🔊 **L6-4**

今度: near future
こんど

1) (   ) May chose a Japanese word for her pet's name since she is studying Japanese.

2) (   ) May's mother works at a bakery four days a week.

3) (   ) May and her mother often eat cake, but her father and grandfather do not eat much.

4) (   ) May hasn't eaten Japanese cake yet.

4 **challenge** Listen to the dialogue **three times** as instructed in Steps 1-3. In each step, listen WITHOUT PAUSING. 🔊 **L6-5**

Step 1 Without taking notes, listen through the entire dialogue to get the whole picture. Then, write down what you remember on a sheet of paper. (You may write in the common language of your class.)

Step 2 Using the same paper, take notes while listening to the dialogue and add more information.

Step 3 Go over your notes while listening to the dialogue. Add or modify information as needed.

Lesson 7 もっと時間がほしいです。
I want more free time.

たんごのれんしゅう｜Vocabulary practice

1 Match the nouns from the boxes with their corresponding pictures.

| けいたいでんわ　　おもちゃ　　さいふ　　てぶくろ　　どうぶつ　　ぬいぐるみ　　ゆびわ |

1) _____　2) _____　3) _____　4) _____　5) _____

6) _____　7) _____

| かいしゃ　　くに　　せかい　　みせ　　りょかん |

8) いろいろな_____　9) _____　10) _____　11) _____　12) _____

2 Choose the word which does NOT belong to each category shown in 【　】.

1) 【feelings】　　　　　　　　　　[a. うれしい　　b. かなしい　　c. こわい　　d. きたない]

2) 【words that describe things】　[a. しんせつ　　b. べんり　　c. へん　　d. すごい]

3) 【もの】　　　　　　　　　　　[a. さいふ　　b. チョコ　　c. おもちゃ　　d. いみ]

4) 【places】　　　　　　　　　　[a. みせ　　b. りょかん　　c. しゅうかん　　d. おんせん]

5) 【学校】
　　がっこう　　　　　　　　　　[a. じゅぎょう　b. おいわい　　c. しゅくだい　　d. しけん]

6) 【words used with する】　　　[a. きもの　　b. マスク　　c. マフラー　　d. てぶくろ]

7) 【future】　　　　　　　　　　[a. らいねん　　b. こんど　　c. さいきん　　d. あした]

3 Fill in __ with the appropriate verbs from the box to complete the sentences.

かいます (to have)　　つかいます　　ならいます　　もらいます

1) 家の中で動物を _____。
　　いえ　　どうぶつ

2) ピアノを _____。

3) アプリを _____。

4) 友達におみやげを _____。
　　ともだち

うります　　とまります　　のぼります　　ひっこしします

5) 古い服を _____。
　　ふる　ふく

6) 山に _____。

7) 旅館に _____。
　　りょかん

8) ここから日本に _____。

4 Match the nouns on the left with their explanations on the right.

1) いみ　　　　　・　　　　・ 動物やキャラクターのものがあります。
　　　　　　　　　　　　　　　どうぶつ

2) かいしゃ　　　・　　　　・ ダイヤモンドやシルバーやゴールドのものがあります。

3) くに　　　　　・　　　　・ ひらがなにはありませんが、漢字にはあります。
　　　　　　　　　　　　　　　　　　　　　　　　　　　　かんじ

4) ぬいぐるみ　・　　　　・ 人はここで働いて、お金をもらいます。
　　　　　　　　　　　　　　　　　　　はたら

5) ゆびわ　　　・　　　　・ 世界に195ぐらいあります。
　　　　　　　　　　　　　　　せかい

じょしのれんしゅう | Particle practice

Fill in ( ) with the appropriate particles. You may use the same particle more than once.

1) ジャパンハウスではネコ（　　　）飼っています。
　　　　　　　　　　　　　　　　　　　か

2) 試験の時、えんぴつ（　　　）使います。
　　しけん　　　　　　　　　　つか

3) 旅行の時、たいていホテル（　　　）泊まります。
　　りょこう　　　　　　　　　　　　　　と

4) 日本で富士山（　　　）登りました。
　　　　ふじさん　　　　のぼ

5) 日本語の授業で新しい漢字（　　　）習いました。
　　　　　じゅぎょう　あたら　かんじ　　　　　なら

6) 来年、りょうからアパート（　　　）引っこしをします。
　　らいねん　　　　　　　　　　　　ひ

7) お金 a.（　　　）ほしいから、ネットでゆびわやかばん b.（　　　）売ります。
　　　　　　　　　　　　　　　　　　　　　　　　　　　　　　　　　　　う

8) 母の日に母 a.（　　　）カーネーション b.（　　　）あげました。
　　はは　ひ　はは

77

ぶんぽうのれんしゅう | Grammar practice

できるⅠ

1 Fill in the table below with the *te*-forms of the given words.

G1

Word	Te-form	Word	Te-form
ふるいです		こわいです	
へんです		べんりです	
がくせいです		ゆめです	

2 Based on the cues provided, describe the following things and people in one sentence using 〜て／で or 〜が. Pay attention to whether the cues reflect additional or contrasting information.

G1

1）私の友達はやさしくて、_____。(☺ nice / ☺ kind)
　　ともだち

2）とうふは_____、_____。(☺ cheap / ☺ tasty)

3）このアプリは_____、_____。(☺ convenient / ☺ very good)

4）私の彼女は_____、大学の_____。(☺ Japanese / ☺ fourth-year student)
　　かのじょ

5）この建物はちょっと_____が、_____。(☹ strange / ☺ awesome)
　　たてもの

6）妹のぬいぐるみは_____、ちょっと_____。(☺ cute / ☹ dirty)
　　いもうと

7）この店は_____、あまり_____。(☺ popular / ☹ not tasty)
　　みせ

3 Describe 1) your best friend, 2) your hobby, and 3) a place you frequently go to using two adjectives or nouns. Use the *te*-forms appropriately.

G1

1）私の親友 (best friend) は_____さんです。
　　しんゆう

　　_____さんは_____。

2）私の_____は_____です。

　　_____は_____。

3）私はよく_____に行きます。

　　_____は_____。

4 ★ G2 Based on the infomation provided, write what Rieman wants now and what Ai wanted when she was a child from their points of view. Fill in ( ) with the appropriate particles.

1) 私は今、もっと_____ ( ) ほしいです 。

2) バレンタインデーに_____ ( ) たくさん_____。

3) _____ ( ) _____。

4) 子どもの時、私は_____ ( ) ほしかったです 。

5) _____ ( ) たくさん_____。

6) ゲームの_____ ( ) _____。

5 ★★ G2 Write about your current and childhood wishes, including your reasons for having them. Pay attention to tense in your answers.

1) 今、_____から、

_____。

2) 子どもの時、_____から、

_____。

6 ★★ G2 Write what you want and don't want in the pictured situations. Use adjectives to describe the items in detail.(Exs. big desk, pretty flowers)

最近引っこしをしました。
さいきん ひ

1)

新しい部屋に_____。
あたら　　へや

でも、_____は_____。

2)

誕生日に_____。
たんじょうび

でも、_____。

3)

私の島に_____。
しま

でも、_____。

ゲームで島(island)を作っています。
しま　　　　つく

Class: _____   Name: _____

 できるⅡ

7 Complete the dialogue based on the cues provided. Pay particular attention
G3 to your usage and placement of the particles.

1) A：今、家に_____いますか。　　　B：いいえ、_____いません。
   いえ　　　"someone"

2) A：朝、_____食べましたか。　　　B：いいえ、_____食べませんでした。
   あさ　　"something"

3) A：週末_____行きましたか。　　　B：いいえ、_____でした。
   しゅうまつ　"somewhere"

4) A：_____話しましたか。　　　B：いいえ、_____でした。
   "with someone"

 8 Answer the questions with a yes or no, followed by more detailed information as in the example.
G3

Ex. Q：ハロウィンにどこかに行きましたか。

A：いいえ、どこにも行きませんでした。試験があったから、うちで勉強しました。
　　　　　　　　　　　　　　　　　　　しけん　　　　　　　　べんきょう

1) Q：今朝、うちで何か食べましたか。
   けさ

   A：_____

2) Q：今年、どこかに引っこししますか。
   ひ

   A：_____

3) Q：去年のバレンタインデーにだれかに何かもらいましたか。
   きょねん

   A：_____

4) Q：今、だれかに何か教えていますか。
   おし

   A：_____

80

★9 **G4** Complete the sentences based on the cues provided. **Assume that Ren is a close friend of yours.** Fill in ( ) with the appropriate particles, < > with the indicated items, and __ with the appropriate giving or receiving verbs.

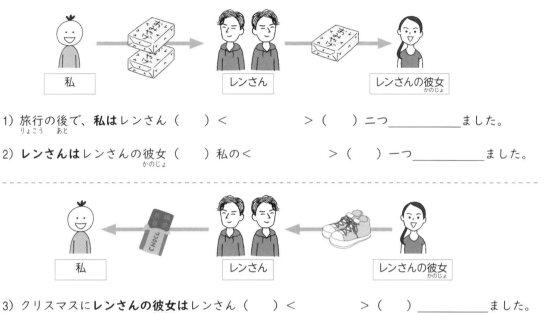

1) 旅行の後で、**私は**レンさん（　　　）＜　　　　　　＞（　　　）二つ_____ました。
りょこう　あと

2) **レンさんは**レンさんの彼女（　　　）私の＜　　　　　　＞（　　　）一つ_____ました。
かのじょ

3) クリスマスに**レンさんの彼女は**レンさん（　　　）＜　　　　　＞（　　　）_____ました。
かのじょ

4) **レンさんは**レンさんの彼女（　　　）＜　　　　　＞（　　　）_____ました。
かのじょ

5) **レンさんは**私（　　　）＜　　　　＞を_____ました。

6) **私は**レンさん（　　　）＜　　　　＞を_____ました。

★★10 **G4** First, read Language Note "は in negative sentences" on p.255 of *TOBIRA I*. Then, using the pictures as cues, complete Ai's "conversation" with Nyanta below. Remember to use polite forms consistently.

1) にゃんた、おはよう。見てください。

今日は私の_____ですから、友達や家族が
ともだち　かぞく

お祝いのメッセージ（　　　）たくさん_____よ。
いわ
　　　　　　　　　　　　　　　　　　　[giving or receiving verb]

2)  _____の誕生日ですから、
　　"20 years old"　　たんじょうび

_____（　　　）_____。
　　　　　　　　　　　　　　　　"don't want"

でも、_____（　　　）たくさん_____。
　　　　　　　　　　　　　　　　　　　　"want"

3) ＜その日のよる (that night) ＞ _____。ジャパンハウスのみんなは
　　　　　　　　　　　　　　　　　　　　　"sad"

_____。（ニャー）
"nothing" + [giving or receiving verb]

先月、タオさんの誕生日に私はタオさん（　　　）
　　　　　たんじょうび

_____（　　　）_____（　　　）_____よ。
　　　　　　　　　　　　　　　　　　　　　　　　[giving or receiving verb]

- -

4) （ニャー、ニャー）あ、あそこに_____ありますよ。
　　　　　　　　　　　　　　　　　　　"something"

わあ、有名な日本の美術の本とおかしです！
　　　ゆうめい　　　　びじゅつ

この本（　　　）_____から、_____。
　　　　　　　　　　　"wanted"　　　　　　　　　　　　"happy"

★★
⑪ Write in detail about gift-giving customs in a country or region that you're familiar with.

G4 **Ex.** 日本ではお正月に子どもにお金をあげます。子どもはたいてい家族や親せき (relatives) にお金
　　　　　　　しょうがつ　　　　　　　　　　　　　　　　　　　　　　　　かぞく　しん
をもらいます。私は高校の時、両親や祖母から 5,000 円ぐらいもらいました。
　　　　　　　　こうこう　　　りょうしん　そぼ

_____では_____に_____

_____

_____

できるⅢ

★
⑫ Fill in the table below with the appropriate verb forms with たいです as in the example.

G5

Word	Polite non-past		Polite past	
	Affirmative	Negative	Affirmative	Negative
みる	みたいです			
あう				
はなす				
する				

13 What do you want to do in Japan?

G5 **Step 1** Complete the conversation using the cues provided.
★

日本で何がしたいですか。

私は古い建物が好きですから、京都に行って、1)_____。
ふる　たてもの　す　　　　　きょうと
　　　　　　　　　　　　　　　○ see / famous temples, shrines, etc.

そうですか。ぼくはあまり 2)_____。
　　　　　　　　　　　　　　× go / temples, shrines, etc.

おもしろいですから、ぼくは 3)_____。
　　　　　　　　　　　　　　　○ stay / a capsule hotel (カプセルホテル)

★★ **Step 2** Write about what you want to do and don't want to do in Japan. Include reasons and details in your answers.

Things you can experience in Japan

富士山　　　　旅館　　　　　　　　　　　　　　　　新幹線 (bullet train)　　your own
ふ じ さん　　りょかん　　　　　　　　　　　　　　　しんかんせん

私は_____。

でも、_____。

14 What did you want to do as a child?

G5 **Step 1** Write what Tao wanted to do and didn't want to do as a child from her point of
★　　　　view using the cues provided.

1) ○ダンス／習う　　　　私は_____。
　　　　　　なら

2) ○大きい木／登る　　　私は_____。
　　　　　　　のぼ

3) ×ピアノ／練習する　　私は_____。
　　　　　　れんしゅう

4) ×大きい動物／飼う　　私は_____。
　　　　どうぶつ　か

★★ **Step 2** Write about what you did and didn't want to do as a child. Include reasons and details in
your answers.

子どもの時、私は_____。

でも、_____。

★★
15 What is on your bucket list? Write about three things you would like to accomplish in your life in detail.

G5 | **Useful phrases** | 〜才までに (by the age of ...)   死ぬまでに (before I die)
                                さい   し

1）私は、_____です。

2）それから、_____です。

3）そして、_____です。

★
16 Complete B's responses below so that B shows interest in what A mentioned.

G6 **Ex.** A：日本のゆるキャラ®(Yuru-Chara) はおもしろいですよ。

　　　　B：そうですか。じゃ、ネットを　見てみます　。

1）A：新しいカフェはとてもよかったですよ。
　　　あたら

　　　B：そうですか。じゃ、今度_____ます。
　　　　　　　　　　　　　　こんど

2）A：うなぎ (eel) はとてもおいしいですよ。

　　　B：そうですか。じゃ、_____たいです。

3）A：『世界に一つだけの花』という歌はとてもいいですよ。
　　　　　せかい　　　　　　　　　うた

　　　B：そうですか。じゃ、_____。

4）your own
　　　A：_____よ。

　　　B：そうですか。じゃ、_____。

★★
17 If you could travel anywhere, what country or region would you like to visit, and why? What would you like to try there? (Look up the country/region name in Japanese online if you don't know how to
G6 spell it.)

_____から、私は_____。

そこで_____。

{それから／でも}、_____。
　[↑Choose one.]

まとめのれんしゅう｜Comprehensive practice

★★★ 18 Write a social media post about a present that made you happy recently, including the information below.

> 1) どんな物ですか。(in detail)
> もの
> 2) いつ (what occasion)、だれがくれましたか。
> 3) どうしてうれしかったですか。

プレゼントをもらいました！

1) _____。

2) _____。

3) _____。

＃ありがとう　＃うれしかった　＃_____
[your own]

┌─────────────────────────┐
│ Draw or paste a picture of your │
│ present here.   │
│   │
│   │
│   │
│   │
└─────────────────────────┘

★★★ 19 Your friend is asking you about your future plans. Complete the dialogue using the cues provided the cues provided.

Friend：〇〇さんは大学の後で、何をしますか。
　　　　　　　　　　　あと

You　：私は大学の後で、1)_____。
　　　　　　　　　あと　　　　　　　　　"want to ..."

Friend：そうですか。2)_____。
　　　　　　　　　　　　[Ask a follow-up question.]

You　：3)_____。

Friend：将来 (in the future)、どこに住みたいですか。
　　　　しょうらい　　　　　　　　　す

You　：4)_____。

Friend：そうですか。他に (besides) 何か夢がありますか。
　　　　　　　　　　ほか　　　　　　　ゆめ

You　：うーん、5)_____。
　　　　　　　　　[Answer using 〜たいです or ほしいです with reason(s).]

Friend：そうですか。応援しています！ (I am rooting for you.)
　　　　　　　　おうえん

きくれんしゅう | Listening practice

1 Listen to statements 1)-3) and write them down. Use katakana and kanji where applicable. 🔊 **L7-1**

1) _____

2) _____

3) _____

2 Listen to the conversation between classmates. Each conversation will end with a beep, indicating a missing line. Then, listen to statements a, b, and c and circle the most appropriate statement for the missing line. 🔊 **L7-2**

1) a   b   c   2) a   b   c   3) a   b   c

3 May (female), an international student, and Akira (male), her homestay brother, are talking about things they want to do. Listen to their conversation and summarize what you hear in the following table in English. 🔊 **L7-3**

冷たい：cold [to the touch]
つめ

	May	Akira	Shiro (dog)
wants to do			
does not want to do			

4 Hiroshi (male) and Kyoko (female) are talking about Tanaka-san's birthday. Listen to their conversation and mark ○ if the statement is true and × if it is false. 🔊 **L7-4**

1) (   ) Kyoko gave Tanaka-san a winter scarf.

2) (   ) Hiroshi gave Tanaka-san a hat last year.

3) (   ) Smith-san gave Tanaka-san gloves.

4) (   ) Tanaka-san will be happy if she receives tasty sweets.

5) (   ) Hiroshi will go online to buy a red wallet.

5 challenge Listen to the dialogue **three times** as instructed in Steps 1-3. In each step, listen WITHOUT PAUSING. 🔊 **L7-5**

Step 1 Without taking notes, listen through the entire dialogue to get the whole picture. Then, write down what you remember on a sheet of paper. (You may write in the common language of your class.)

Step 2 Using the same paper, take notes while listening to the dialogue and add more information.

Step 3 Go over your notes while listening to the dialogue. Add or modify information as needed.

Lesson 8 | ちょっとお願いがあるんですが…
I have a favor to ask of you...

たんごのれんしゅう | Vocabulary practice

1 Sort the words in the box into the appropriate categories below as in the example.

フルート	ピアノ	ぶんがく	しょうがくきん	きょうかい	ギター	えき
れきし	スーパー	きょうかしょ	がいこくご	ぶんぽう	くうこう	

1) 楽器 (instrument) ： Ex. フルート＿＿＿＿＿＿＿＿＿＿＿＿＿＿＿＿＿＿＿＿＿
   がっき

2) 勉強・学校 ： ＿＿＿＿＿＿＿＿＿＿＿＿＿＿＿＿＿＿＿＿＿＿＿＿＿＿
   べんきょう

3) 場所 (place) ： ＿＿＿＿＿＿＿＿＿＿＿＿＿＿＿＿＿＿＿＿＿＿＿＿＿＿
   ばしょ

2 Match the nouns on the left with the verbs on the right that are most commonly paired with them for 1)-6), and with their related word groups on the right for 7)-11).

1) しけん	・ ・おねがいする	7) しゅうきょう ・	・ぶんか／れんしゅう
2) さくぶん	・ ・ひく	8) しょどう ・	・きょうかい／モスク／おてら
3) バイオリン	・ ・かく（書く）	9) くうこう ・	・ぶんぽう／はなす／たんご
4) え	・ ・かく（描く）	10) スーパー ・	・ひこうき／りょこう
5) クラス	・ ・うける	11) がいこくご ・	・かいもの／たべもの
6) すいせんじょう ・	・とる		

3 The diagram below shows what this student does before, during, and after studying abroad in Japan. Fill in __ with the appropriate verbs from the boxes.

a. はじめる　b. そうだんする　c. おねがいする　d. しらべる　e. しょうがくきん　f. けんきゅうしつ

1) 日本語の勉強を＿＿＿＿
   べんきょう

➡ 2) 先生の＿＿＿＿に行く

➡ 3) 先生に留学について＿＿＿＿ ➡
   りゅうがく

4) 留学のプログラムを＿＿＿＿
   りゅうがく

➡ 5) 先生に推薦状を＿＿＿＿
   すいせんじょう

➡ 6) ＿＿＿＿をもらう ➡

g. りゅうがくする　　h. うける　　i. とる

7) 日本に＿＿＿＿

➡ 8) クラスを＿＿＿＿

➡ 9) 試験を＿＿＿＿
   しけん

87

| j. けんきゅうする | k. きょうみがある | l. かんがえる |

10) 歴史に_____ ➡ 11) 歴史を_____ ➡ 12) 将来 (future) について_____
れきし　　　　　　　　　れきし　　　　　　　　しょうらい

4 Match the phrases from the box with their corresponding pictures.

| a. じょうずですね。　b. 今、ひまです。　　c. きらいです！
| d. ごめん！[casual]　e. おひさしぶりです。　f. しつれいします。

"Long time no see."

1) _____　2) _____　3) _____　4) _____　5) _____　6) _____

5 Using as many words from Lesson 8 as possible, make a semantic map starting with the word きょうみ. Think of related words, write them in bubbles, and connect them.

Ex. れきし ── きょうみ

Use a separate sheet of paper as necessary.

じょしのれんしゅう｜Particle practice

Fill in ( ) with the appropriate particles. Do not use は or の. (See *Grammar in Depth* B. Particles on the *TOBIRA* website to review the functions of particles.)

1) アイさんはよく絵（　　　）描きます。
　　　　　　　　　え　　　　　か

2) 姉はフルート（　　　）ふきます。
　あね

3) 昨日、夜遅く宿題（　　　）始めました。
　きのう よるおそ しゅくだい　　はじ

4) お願い（　　　）あります。
　ねが

5) 明日、朝早く弟 a.（　　　）空港 b.（　　　）送ります。
　あした あさはや おとうと　　くうこう　　　おく

6) 来年、日本（　　　）留学したいです。
　　　　　　　りゅうがく

7) 友達 a.（　　　）日本のまんが b.（　　　）借りました。
　ともだち　　　　　　　　　　か

8) 毎日ピアノ（　　　）ひきます。

9) 日本の歴史 a.（　　　）興味 b.（　　　）あります。だから、大学で歴史 c.（　　　）専攻しています。
　　　れきし　　　きょうみ　　　　　　　　　　　　　れきし　　せんこう

10) 昨日、車 a.（　　　）洗いました。それから、車 b.（　　　）運転して出かけました。
　きのう くるま　　あら　　　　　　　　くるま　　　うんてん で

11) 日曜日に教会 a.（　　　）友達 b.（　　　）連れていきました。
　　　　　きょうかい　　ともだち　　　つ

12) 今日、日本語の授業（　　　）遅れました。
　きょう　　　　じゅぎょう　　　おく

ぶんぽうのれんしゅう｜Grammar practice

できるⅠ

★1 *G1,G2* The following is the profile for Mina, a popular idol. Fill in __ using the cues provided to describe her. Fill in ( ) with the appropriate particles and ☐ with noun phrases containing a verb.

1) ☺ good at the piano; ☹ bad at the guitar

2) ☺ good at sports; good at driving (a car)

3) ☺ likes Japanese calligraphy; likes dancing

4) ☹ does not like drawing pictures

1）ミナはピアノ（　　）_____が、_____（　　）_____。

2）ミナは_____（　　）_____。

　　それから、☐_____（　　）_____。

3）ミナは_____（　　）_____。それから、☐_____（　　）_____。

4）ミナは☐_____（　　）_____。

★★2 *G2* You are looking for a roommate who speaks Japanese. Prepare questions to ask potential roommates using the cues provided.

Ex. what they like to do　　何をするのが好きですか。
　　　　　　　　　　　　　　　　　す

1）what they are good at　　_____。

2）what they are bad at　　_____。

3）if they like cleaning　　_____。

4）if they like to have parties [Use the verb する.]　_____。

5）your own　　_____。

★★3 *G2* Using #7 on p.282 of *TOBIRA I* as a model, describe your own preferences and skills.

_____

_____

_____

できる II

★4 Fill in the table with appropriately conjugated verbs in hiragana.

G3

Masu-form	Plain non-past		*Masu*-form	Plain non-past	
	Affirmative	Negative		Affirmative	Negative
はじめます			おくれます		
あらいます			がんばります		
あります			きます (to come)		
うんてんします			つれてきます		

★5 Fill in the table with appropriately conjugated words in hiragana.

G3

Polite form	Plain non-past		Polite form	Plain non-past	
	Affirmative	Negative		Affirmative	Negative
やすいです			ちかいです		
じょうずです			きらいです		
やすみです			がくせいです		

★6 Complete the sentences by giving a reason based on the cues provided.

G3　**Ex.** 日本の宗教に興味があります
しゅうきょう　きょうみ

→ <u>日本の宗教に興味があるから</u>、お寺や神社に行ってみたいです。
　　しゅうきょう　きょうみ　　　　　　　　　　　じんじゃ

1) 相談があります → _____から、兄に電話します。
　　そうだん　　　　　　　　　　　　　　　　　　　　　あに　でんわ

2) 日本から友達が来ます → _____から、朝早く空港に迎えに行きます。
　　　　　ともだち　　　　　　　　　　　　　　　　　　　　あさはや　くうこう　むか

3) 宿題がありません → _____、今日、友達と出かけます。
　　しゅくだい　　　　　　　　　　　　　　　　　　　　　　　　ともだち　で

4) ルームメートはいつも皿を洗うのを忘れます
　　　　　　　　　　　さら　あら　　　わす

→ _____、私はルームメートがきらいです。

5) 本を読むのが好きです → _____、文学を専攻しています。
　　　　す　　　　　　　　　　　　　　　　　　　　　　　ぶんがく　せんこう

6) ひまです → _____、今日、車を洗います。
　　　　　　　　　　　　　　　　　　　　　　　　くるま　あら

7) 月曜日です。 → _____、今日、美術館は休みです。
　　　　　　　　　　　　　　　　　　　　　　　びじゅつかん　やす

7 Now, state the reason after describing your actions, using the cues in #6 as in the example.

G3 **Ex.** 日本の宗教に興味があります
→ お寺や神社に行ってみたいです。<u>日本の宗教に興味があるからです。</u>

1）兄に電話します。＿＿＿＿＿＿＿＿＿＿＿＿＿＿＿＿＿＿＿からです。

2）朝早く空港に迎えに行きます。＿＿＿＿＿＿＿＿＿＿＿＿＿からです。

3）今日、友達と出かけます。＿＿＿＿＿＿＿＿＿＿＿＿＿からです。

4）私はルームメートがきらいです。＿＿＿＿＿＿＿＿＿＿＿＿＿。

5）文学を専攻しています。＿＿＿＿＿＿＿＿＿＿＿＿＿。

6）今日、車を洗います。＿＿＿＿＿＿＿＿＿＿＿＿＿。

7）今日、美術館は休みです。＿＿＿＿＿＿＿＿＿＿＿＿＿。

8 Choose the most logical sentence between a and b.

G3
1）a. 教科書がないから、友達に借ります。
b. 友達に借りるから、教科書がありません。
2）a. 明日は朝早く起きるから、アルバイトがあります。
b. アルバイトがあるから、明日は朝早く起きます。
3）a. このアパートは駅に近いから、便利です。
b. このアパートは便利だから、駅に近いです。
4）a. 先生に相談するから、留学したいです。
b. 留学したいから、先生に相談します。

9 Answer the questions based on your own information. For 1), include a reason for your answer.

G2,G3 **Ex.** Q：歌を歌うのが好きですか。
A：いいえ、あまり好きじゃないです。歌を歌うのが下手だからです。

1）Q：外国語を勉強するのが好きですか。

A：＿＿＿＿＿＿＿＿＿＿＿＿＿＿＿＿＿＿＿。

2）Q：どうして＿＿＿＿＿＿＿＿ [your major] を専攻していますか。

A：＿＿＿＿＿＿＿＿＿＿＿＿＿＿＿＿＿＿＿。

3）Q：どうして日本語を勉強していますか。

A：＿＿＿＿＿＿＿＿＿＿＿＿＿＿＿＿＿＿＿。

★10 Choose the **most appropriate** particle from [　] for each sentence based on the context.

G4 1) アイさんは専攻が二つあります。日本語［a.と　b.や　c.か］美術です。
せんこう　　　　　　　　　　　　　　　　　　　　　　びじゅつ

2) 私は色々な日本の文化に興味があります。例えば (for instance)、アニメ［a.と　b.や　c.か］
いろいろ　　ぶんか　きょうみ　　　たと
書道です。
しょどう

3) 今、クラスをたくさん取っています。日本語［a.と　b.や　c.か］宗教のクラスです。
と　　　　　　　　　　　　　　　　　　　　しゅうきょう

4) このカフェではたいていコーヒー［a.と　b.や　c.か］カプチーノを飲みます。

5) 私は三人家族です。母［a.と　b.や　c.か］兄［a.と　b.や　c.か］私です。
かぞく　　はは　　　　　　　　　あに

6) 私のアパートは駅［a.と　b.や　c.か］公園の間にあります。
えき　　　　　　　　　こうえん

7) ここに青［a.と　b.や　c.か］黒のペンで名前を書いてください。
あお　　　　　　　　　くろ　　　　　なまえ　か

only one cup

★★11 Your friend Tanaka-san is presenting two alternatives for an activity. Complete Tanaka-san's
G4 suggestions using the cues provided, then choose one and state a reason for your choice.

Ex. 田中　：週末、いっしょに＿＿＿＿山か海に行きませんか＿＿＿＿。
しゅうまつ　　　　　　　　　　　"mountain or sea"
あなた：いいですね。じゃ、＿＿＿キャンプをしたい＿＿＿から、＿＿＿山はどうですか＿＿＿。

1) 田中　：明日、いっしょに＿＿＿＿＿＿＿＿＿＿＿＿＿＿＿＿＿＿＿＿＿＿＿＿＿＿＿。
"lunch or dinner"
あなた：ええ。じゃ、＿＿＿＿＿＿＿＿＿＿＿＿＿＿＿から、＿＿＿＿＿＿＿＿＿＿＿＿＿。

2) 田中　：今週の＿＿＿＿＿＿＿＿＿＿＿＿＿＿＿＿＿＿＿＿＿＿＿＿＿＿＿＿＿＿＿。
"Friday or Saturday"
あなた：じゃ、＿＿＿＿＿＿＿＿＿＿＿＿＿＿＿から、＿＿＿＿＿＿＿＿＿＿＿＿＿＿＿。

3) your own
田中　：＿＿＿＿＿＿＿＿＿＿＿＿＿＿＿＿＿＿＿＿＿＿＿＿＿＿＿＿＿＿＿＿＿＿＿。
あなた：じゃ、＿＿＿＿＿＿＿＿＿＿＿＿＿＿＿から、＿＿＿＿＿＿＿＿＿＿＿＿＿＿＿。

★★12 Complete the sentences with your own purpose for going to the following places, using the "V-*masu*
G5 に V (motion)" construction. Fill in (　) with the appropriate particles.

Ex. カフェ（ に ）コーヒーを飲み（ に ）行きます。

1) ジム（　　）＿＿＿＿＿＿＿＿＿＿＿＿＿＿＿（　　）＿＿＿＿＿＿＿＿＿＿＿＿＿。

2)「＿＿＿＿＿」というスーパー（　　）＿＿＿＿＿＿＿＿＿＿（　　）＿＿＿＿＿＿＿＿＿。

3) 日本（　　）＿＿＿＿＿＿＿＿＿＿＿＿＿＿＿＿＿＿＿＿＿＿（　　）行きたいです。

4) 私の家（　　）＿＿＿＿＿＿＿＿＿＿＿＿＿＿＿＿＿＿＿＿＿（　　）来ませんか。
いえ

★★
⑬ Share three places that you would recommend and for what purpose you go there using V-*masu* にいく.

G5 **Ex.** 私のおすすめの 所 は「ララ」というレストランです。私はよくララにトマトパスタを食べに

ところ

行きます。

1) 私のおすすめの 所 は_____です。私はよく_____

ところ

_____。

2) _____。

3) _____。

★★★
⑭ You are talking with a new neighbor, Yamakawa-san, who has just moved to your town. Complete the
conversation using the cues provided.

G1-G5

山川　：　あのう、安くておいしいレストランを知っていますか。

やす

私は 1)_____、あまり 料理しません。

"not good at cooking, so..."　　　　　　　　　　　　　　　　りょうり

あなた：　安くておいしいレストランですか。

やす

じゃ、2)_____はどうですか。

[Suggest two options.]

山川　：　おすすめはどちら (which) の店ですか。

みせ

あなた：　3)_____です。

私はよく 4)_____。

"go to [the restaurant's name] to eat [your favorite menu item]"

山川　：　へえ、いいですね。ぜひ行ってみたいです。

あなた：　えっと、私は 5)_____、私の 車 でいっしょに行きましょうか。

"(I) have a car, so..."　　　　　　　　　　くるま

6)_____よ。

"(I) will come to your house to pick (you) up." [Use the verb いく.]

土曜日はどうですか。

山川　：　ありがとうございます。お願いします。土曜日は何時ごろがいいですか。

ねが

あなた：　7)_____。

[Suggest two options.]

山川　：　じゃ、8)_____。

[your choice]

あなた：　分かりました。

わ

Class: _____   Name: _____

できるⅢ

⑮ **G6** Change the underlined parts to casual speech style as in the example. Then, answer the question in the negative using casual speech.

Ex. 明日、教会に行きますか。　　　Q：＿＿＿＿行く？＿＿＿＿　A：ううん、＿＿＿行かない＿＿＿。
きょうかい

1）フランス語が分かりますか。　　Q：＿＿＿＿＿＿＿＿＿＿　A：ううん、＿＿＿＿＿＿＿＿＿＿＿。
　　　　　　わ

2）明日出かけますか。　　　　　　Q：＿＿＿＿＿＿＿＿＿＿　A：ううん、＿＿＿＿＿＿＿＿＿＿＿。
　　　　で

3）歴史に興味がありますか。　　　Q：＿＿＿＿＿＿＿＿＿＿　A：ううん、＿＿＿＿＿＿＿＿＿＿＿。
　れきし　きょうみ

4）来年、留学しますか。　　　　　Q：＿＿＿＿＿＿＿＿＿＿　A：ううん、＿＿＿＿＿＿＿＿＿＿＿。
　　　　りゅうがく

5）明日、友達を連れてきますか。　Q：＿＿＿＿＿＿＿＿＿＿　A：ううん、＿＿＿＿＿＿＿＿＿＿＿。
　　　　ともだち　つ

6）アパートは学校に近いですか。　Q：＿＿＿＿＿＿＿＿＿＿　A：ううん、＿＿＿＿＿＿＿＿＿＿＿。
　　　　　　　　ちか

7）料理が得意ですか。　　　　　　Q：＿＿＿＿＿＿＿＿＿＿　A：ううん、＿＿＿＿＿＿＿＿＿＿＿。
　りょうり　とくい

8）出身は東京ですか。　　　　　　Q：＿＿＿＿＿＿＿＿＿＿　A：ううん、＿＿＿＿＿＿＿＿＿＿＿。
　しゅっしん　とうきょう

⑯ **G6** You are chatting with your friend. Answer the questions based on your own information using casual speech.

Ex. Q：明日、学校に行く？　　A：＿うん、行く＿。or ＿ううん、行かない＿。
　　　　　がっこう

1）Q：元気？　　　　　　　　A：＿＿＿＿＿＿＿＿＿＿＿＿＿＿＿＿＿＿＿＿。
　　　げんき

2）Q：明日、忙しい？　　　　A：＿＿＿＿＿＿＿＿＿＿＿＿＿＿＿＿＿＿＿＿。
　　　　　いそが

3）Q：週末、予定、ある？　　A：＿＿＿＿＿＿＿＿＿＿＿＿＿＿＿＿＿＿＿＿。
　　　しゅうまつ　よてい

⑰ **G6** You are talking with your friend. Complete the conversation in **casual speech** using the cues provided.

あなた：土曜日、1）＿＿＿＿＿＿＿＿＿＿＿＿＿＿＿＿＿＿＿＿＿＿＿＿＿＿＿ない？
　　　　　　　　　　　　　　　[Invite to your house to watch a movie.]

友達　：ごめん、2）＿＿＿＿＿＿＿＿＿＿＿＿＿＿＿＿＿＿＿＿＿＿＿＿＿＿＿＿
ともだち　　　　　　　　　　　[Declines your invitation with a reason]

あなた：じゃ、日曜日は？

友達　：うん、日曜日は3）＿＿＿＿＿＿＿＿。4）＿＿＿＿＿＿＿＿＿＿＿＿＿＿
ともだち　　　　　　　　　　"okay"　　　　　　　　　　[Asks what to watch]

あなた：5）＿＿＿＿＿＿＿＿＿＿＿＿＿＿＿＿＿＿＿＿＿＿＿＿＿＿＿＿＿＿＿＿
　　　　　　　　　　　　　　[Suggest two options.]

友達　：じゃ、6）＿＿＿＿＿＿＿＿＿＿＿＿＿＿＿たい。
ともだち　　　　　　　[Chooses one]

できるⅣ

⭐18 You are teaching a foreign language class in Japan. Tell your students what not to do in your class using the cues provided.
G7

Ex. クラスで食べ物を食べる → クラスで食べ物を<u>食べないでください</u>。

1) 宿題を忘れる　　　　→ 宿題を_____。

2) クラスに遅れる　　　→ クラスに_____。

3) 日本語で話す　　　　→ 日本語で_____。

4) クラスでスマホを使う → _____。

5) 日本語で質問する　　→ _____。

6) 朝早く研究室に来る　→ _____。

⭐19 You are working at an art museum. Add captions to the signs below for Japanese-speaking tourists, using 〜ないでください.
G7

1)　　　　　2)　　　　　3) loudly（大きい声で）　4)　　　　　5) bring a pet

1) _____。

2) _____。

3) _____。

4) _____。

5) _____。

⭐⭐20 You are a dorm advisor at a summer camp for Japanese students. Write at least three rules for what they should and shouldn't do in the dorm. (See #3 on p.288 of *TOBIRA I*.)
G7

Ex. ここはりょうです。夜遅くせんたくをしないでください。

_____

_____

_____

95

㉑ Practice using lead-in sentences.

G8 **Step 1** Change the following sentences to lead-in sentences in both polite and casual styles.

	Polite	Casual
Ex. 映画のチケットがあります	映画のチケットがあるんですが	映画のチケットがあるんだけど
1) 週末、どこかに出かけたいです	週末、	週末、
2) 今晩、何も予定がありません	今晩、	今晩、
3) 明日、ひまです	明日、	明日、
4) 金曜日は休みです	金曜日は	金曜日は

Step 2 Invite your classmate to join you for an activity you like, using the polite lead-in sentences from 1) and 2) in Step 1.

Ex. 映画のチケットがあるんですが、いっしょに映画を見に行きませんか。

1) _____。

2) _____。

Step 3 Invite your friend to join you for an activity you like, using the casual lead-in sentences from 3) and 4) in Step 1.

Ex. 映画のチケットがあるんだけど、いっしょに映画を見に行かない？

3) _____

4) _____

㉒ Complete the table with requests based on the cues provided as in the examples. Pay attention to the addressee and use the appropriate levels of formality.

G9

	To your teacher	To your host parent	To your friend
Ex. おもしろい日本の動画を "introduce"	紹介して くださいませんか。	紹介して くれませんか。	紹介して くれない？
1) この文法を "teach"			
2) 日本語の本を "lend"			
3) 駅に "come to pick (me) up"			

★★
23 Make requests using lead-in sentences based on the cues provided as in the example. Use the
appropriate level of formality in your requests.

G8,G9

Ex. この文法が分かりません／教えます ➡ 先生
　　ぶんぽう　　わ　　　　　　　　　　おし
　→ 先生、この文法が分からないんですが、教えてくださいませんか。
　　　　　　　ぶんぽう　わ　　　　　　　　　　　　　おし

1) 今、駅にいます／迎えに来ます ➡（ホストファミリーの）お父さん
　　　えき　　　　むか　　　　　　　　　　　　　　　　　　　とう

お父さん、_____
とう

2) 奨学金がほしいです／推薦状を書きます ➡ 先生
　しょうがくきん　　　　　すいせんじょう　か

3) 町の歴史について調べています／図書館に連れていきます ➡（ホストファミリーの）お母さん
　　　れきし　　　　しら　　　　　　としょかん　つ　　　　　　　　　　　　　　　　かあ

_____

4) スーパーにおかしを買いに行きたいです／自転車を貸します ➡（友達の）ミカちゃん
　　　　　　　　　　　　　　　　じてんしゃ　か　　　　　ともだち

_____

5) 料理が苦手です／ your own ➡（友達の）ミカちゃん
　りょうり　にがて　　　　　　　　　　ともだち

_____

★★★
24 Make a request of your teacher using the cues provided. (See #4 on p.290 of *TOBIRA I.*)

G8,G9

あなた：先生、1)_____。
　　　　　　　　　　　　　　　　[lead-in sentence]

先生　：はい、何ですか。

あなた：2)_____。
　　　　　　　　　　　　[Make a request with a reason]

先生　：はい、分かりました。
　　　　　　　　わ

★
25 Describe what you're lawfully allowed to do in a country of your choice. Complete the sentences
using the cues provided, including the country names and the legal ages for those actions.

G10

Ex. 結婚する　　　　→日本では18才から結婚してもいいです。
　けっこん　　　　　　　　　　　さい　けっこん

1) 結婚する　　　→_____では_____才から_____。
　けっこん　　　　　　　　　　　　　　　　　　　　さい

2) たばこを吸う　→_____。
　　　　　す

3) お酒を飲む　　→_____。
　さけ

4) 車を運転する　→_____。
　くるま　うんてん

★★
26 You are a resident assistant for a group of students from Japan. Tell them what they are (○) and
G10 aren't (×) allowed to do as in the examples.

Ex.1 ○ 部屋でゲームをする　　　　　　→ 部屋でゲームをしてもいいです。
　　　　　へ や　　　　　　　　　　　　　　　　　　　　　　　　　　へ や
Ex.2 × リビングでカラオケ (karaoke) をする → リビングでカラオケをしないでください。

1) ○ キッチンを使う　　　　　　　→ _____。
　　　　　　　　つか

2) ○ 部屋でギターをひく　　　　　→ _____。
　　　へ や

3) × りょうでたばこを吸う　　　　→ _____。
　　　　　　　　　　　す

4) × 夜遅く部屋に友達を連れてくる → _____。
　　　よるおそ　へ や　ともだち　つ

まとめのれんしゅう | Comprehensive practice

★★★
27 Practice asking for permission with the appropriate level of formality.

Step 1 Complete the dialogue between you and your host mother using the cues provided.

あなた　：1)_____。
　　　　　　　　　"(I) have a question/request" [lead-in sentence]

お母さん：ええ、何ですか。
　　かあ

あなた　：2)_____んですが、
　　　　　　　　"I like playing the guitar"

　　　　　3)_____。
　　　　　　　　[Ask for permission to play the guitar in your room.]

お母さん：ええ、でも、4)_____。
　　かあ　　　　　　　　[Makes a request not to play [it] late at night]

あなた　：分かりました。それから、明日は 5)_____から、
　　　　　　わ　　　　　　　　　　　　　　　[Explain where you will be going and for what purpose.]

　　　　　たぶん 6)_____。
　　　　　　　　　"(I) will return home around six or seven."

お母さん：はい。
　　かあ

Step 2 Now, change the dialogue in Step 1 to a casual conversation with your roommate. Use a
separatte sheet of paper for your answers.

きくれんしゅう | Listening practice

1 Listen to sentences 1)-3) and write them down. Use katakana and kanji where applicable. 🔊 **L8-1** | Lesson **8**

1) _____

2) _____

3) _____

2 Listen to the instructions and choose the places you are most likely to hear them from the box below. 🔊 **L8-2**

| a. 美術館
びじゅつかん | b. りょうのオリエンテーション会場 (orientation site)
かいじょう | c. 病院
びょういん |

1) _____   2) _____   3) _____

3 Listen to the conversations and fill in the table based on what you hear. Mark who is speaking and what the first speaker is trying to do, and write down key words/phrases in English. 🔊 **L8-3**

	The two speakers are:	The first speaker is: (Check all that apply.)	Other information
1)	☐ Student & host mother ☐ Student & teacher ☐ Friends	☐ Asking for permission ☐ Asking a question ☐ Consulting	**Ex.** Japanese snacks
2)	☐ Student & host family ☐ Student & teacher ☐ Friends	☐ Making a request ☐ Asking a question ☐ Consulting	
3)	☐ Student & host family ☐ Student & teacher ☐ Friends	☐ Making a request ☐ Asking a question ☐ Consulting	

4 Listen to the podcast about studying abroad in Japan. Mark ○ if the statement is true and × if it is false. 🔊 **L8-4**

1) (　　　) The speaker is asking for permission to go to Japan.

2) (　　　) The speaker wants to go on vacation in Kyoto.

3) (　　　) The speaker is interested in Japanese history.

4) (　　　) The speaker is studying at Kyoto University now.

5) (　　　) The speaker is asking for information about Kyoto from the listeners.

5 challenge Listen to the dialogue **three times** as instructed in Steps 1-3. In each step, listen WITHOUT PAUSING. 🔊 **L8-5**

Step 1 Without taking notes, listen through the entire dialogue to get the whole picture. Then, write down what you remember on a sheet of paper. (You may write in the common language of your class.)

Step 2 Using the same paper, take notes while listening to the dialogue and add more information.

Step 3 Go over your notes while listening to the dialogue. Add or modify information as needed.

Lesson 9 — すごくこわかった！
It was so scary!

たんごのれんしゅう | Vocabulary practice

1 Sort the words in the box into the appropriate categories below as in the example.

たいふう　　はる　　はれ　　ゆき　　ふゆ　　１０ど
くもり　　なつ　　マイナス５ど　　あき　　れいど　　あめ

1) きせつ (season)：＿＿＿＿＿＿＿＿＿＿＿＿＿＿＿＿＿＿＿＿＿＿＿＿＿

2) きおん　　　　：＿＿＿＿＿＿＿＿＿＿＿＿＿＿＿＿＿＿＿＿＿＿＿＿＿

3) てんき　　　　：Ex. たいふう＿＿＿＿＿＿＿＿＿＿＿＿＿＿＿＿＿＿＿

2 Match the following phrases with their corresponding pictures below.

a. 　　b. 　　c. 　　d.

e. 　　f. 　　g. 　　h.

Ex. きぶんがわるい（　d　）　　1) のどがかわく（　　　）　　2) ねむい　　（　　　）

3) おなかがすく　（　　　）　　4) つかれる　　（　　　）　　5) はがいたい（　　　）

6) ねつがある　　（　　　）　　7) かぜをひく　（　　　）

3 Fill in ＿＿ with the appropriate verbs from the box to complete the sentences. You may use each word only once.

a. わかれました　　b. けんかしました　　c. かたづけました　　d. すてました
e. なきました　　f. やすみました　　g. わらいました

1) 明日 両 親が大学を見に来るから、部屋を＿＿＿＿＿＿。それから、ごみも＿＿＿＿＿＿。
　　りょうしん　　　　　　　　　　　　　　へや

2) 子どもの時、私と弟はとても仲がよかったです。でも、ときどき＿＿＿＿＿＿。
　　　　　　　　　　　　　　なか

3) 最近とても 忙 しかったから、昨日はゆっくり＿＿＿＿＿＿。
　　さいきん　　いそが　　　　きのう

4) 昨日の夜、悲しい映画を見て、ちょっと＿＿＿＿＿＿。
　　きのう　よる　かな　えいが

5) みんなでカラオケをしました。おもしろい歌を歌って、たくさん＿＿＿＿＿＿。
　　　　　　　　　　　　　　　　　　　うた　うた

6) みちこさんと二年ぐらいデートしていましたが、先週けんかして＿＿＿＿＿＿。

100

4 Match the words on the left with their opposites on the right. Then, choose two word pairs and write a sentence for each as in the example.

Ex. あつい •　　　• びょうき　　　Ex. アラスカはさむいですが、ハワイはあついです。

1) すずしい •　　　• さむい

2) なかがいい •　　• あめがやむ　　　• _____

3) あまい •　　　• まずい　　　　　_____

4) おいしい •　　　• からい

5) げんき •　　　• あたたかい　　　• _____

6) あめがふる •　　• なかがわるい　　　_____

5 Fill in __ with the appropriate words from the box to complete the sentences. You may use each word only once.

まじめ　　ふる　　おなじ　　やむ　　さびしい　　だいじょうぶ

1) 私の町は冬にたくさんゆきが_____から、よくスキーをします。

2) 今、一人で住んでいるから、ときどき_____です。

3) 今日は朝から雨が降っていますが、明日は_____から、出かけましょう。

4) 姉はとても_____で、毎日勉強しますが、私はあまり勉強しません。

5) 大きい台風が来ましたが、私の家は_____でした。

6) 私はふたご (twins) の兄とよく_____服を着ます。

6 Using as many words from Lesson 9 as possible, make a semantic map starting with the word げんきがない. Think of related words, write them in bubbles, and connect them.

Ex. つかれている　　　　げんきがない

Use a separate sheet of paper as necessary.

じょしのれんしゅう | Particle practice

Fill in ( ) with the appropriate particles. You may use the same particle more than once.

1) たくさん歩いたから、のど（　　）かわきました。

2) かぜ a.（　　）ひいて、熱 b.（　　）あります。

3) 最近、ネコがあまり元気 a.（　　）ありません。病気だ b.（　　）思います。

4) ルームメートがそうじをしないから、ルームメート（　　）けんかしました。

5) 今朝から何も食べていないから、おなか（　　）すきました。

ぶんぽうのれんしゅう │ Grammar practice

できるⅠ

① Fill in the table with the appropriately conjugated forms in hiragana.

G1

		Plain non-past		Plain past	
		Affirmative	Negative	Affirmative	Negative
Verb	すてる				
	つかれる				
	（おなかが）すく				
	やすむ				
	わらう				
	ある				
	けんかする				
	くる				
I-adj.	あたたかい				
	いい				
Na-adj. +だ	だいじょうぶだ				
Noun +だ	はれだ				

② Two friends are talking casually. Complete the exchanges by filling in __ based on the pictures provided.

G1

Ex. 　1)  山田さん　2) busy 　3) 　4) long

Ex. A：___今日は晴れたね！___　　　　　　B：うん、よかったね！
　　　　　　　　　　は

1) A：山田さんはクラスを_____ね。　　B：うん、そうだね。

2) A：先週の週末は_____ね。　　B：うん、つかれたね。
　　　せんしゅう　しゅうまつ

3) A：今日は気温が_____ね。　　B：うん、とても暑かったね。
　　　　　きおん　　　　　　　　　　　　　　　　　　あつ

4) A：昨日の試験、_____ね。　　B：うん。大変だったね。
　　　きのう　しけん　　　　　　　　　　　　　　　　たいへん

3 ★★★ You are talking with your friend Osamu. Complete the conversation in casual speech using the cues provided.
G1

あなた：おさむ、週末、何かした？
しゅうまつ

おさむ：うん、友達といっしょに 1)_____。
ともだち   "climbed a mountain"

あなた：へえ、いいね。

おさむ：うん、すごく 2)_____よ。でも、3)_____。
                        "was fun"   "a little tired"

あなた：そっか。4)_____？
                    "How was the weather?"

おさむ：朝ちょっと雨が降った。でも、5)_____よ。
あさ   あめ ふ   "(it) stopped in the afternoon"

　　　　○○は週末、何をした？
しゅうまつ

あなた：6)_____。
           [Describe what you did.]

　　　　7)_____。
           [Describe how it was.]

できるⅡ

4 ★ Answer the questions by filling in __ based on the pictures provided as in the example.
G2

どうしたんですか。

Ex.　1)　2) received　3) didn't sleep

4) lonely　5) not confident in　6) not good　7) summer vacation

Ex. ___つかれたんです___。

1)_____んです。

2）奨学金を_____。
しょうがくきん

3）昨日の晩_____。
きのう ばん

4)_____。

5）漢字が_____。
かんじ

6）試験が_____。
しけん

7）明日から_____。

103

Class: _____   Name: _____

5 Create short conversations based on two facial expressions of your choice from the pictures below. Use #3 on p.321 of *TOBIRA I* as a model.

G2

1）B's facial expression: Picture (　　)

　　A：どうしたんですか。

　　B：実は＿＿＿＿＿＿＿＿＿＿＿＿＿＿＿＿＿＿＿＿＿＿んです。
　　　　じつ

　　A：＿＿＿＿＿＿＿＿＿＿＿＿＿＿＿＿＿＿＿＿＿＿＿＿＿＿＿

　　B：＿＿＿＿＿＿＿＿＿＿＿＿＿＿＿＿＿＿＿＿＿＿＿＿＿＿＿

2）B's facial expression: Picture (　　)

　　A：どうしたんですか。

　　B：＿＿＿＿＿＿＿＿＿＿＿＿＿＿＿＿＿＿＿＿＿＿＿＿んです。

　　A：＿＿＿＿＿＿＿＿＿＿＿＿＿＿＿＿＿＿＿＿＿＿＿＿＿＿＿

　　B：＿＿＿＿＿＿＿＿＿＿＿＿＿＿＿＿＿＿＿＿＿＿＿＿＿＿＿

6 Turn the following dialogue into casual speech by changing the underlined parts as in the example.

G1,G2　**Ex.** A：土曜日におもしろいイベントをする<u>んですが</u>、<u>来ませんか</u>。
　　　　　　　　　　　　　　んだけど、来ない？

1）B：何の<u>イベントですか</u>。　　　　　A：日本料理のコンテスト<u>ですよ</u>。
　　　　　　　　　　　　　　　　　　　　　　りょうり

2）B：イベントはどこで<u>あるんですか</u>。　A：ジャパンハウスで<u>ありますよ</u>。

3）B：何時に<u>始めるんですか</u>。　　　　A：午後6時<u>からですよ</u>。
　　　　　はじ

4）B：去年もこのイベントを<u>したんですか</u>。　A：はい、<u>しましたよ</u>。
　　　きょねん

5）B：友達と<u>行きたいんですが</u>、<u>連れていってもいいですか</u>。　　A：もちろん、<u>いいですよ</u>。

104

Class: _____ Name: _____

★★ 7 Decline your roommate's request/invitation and provide your reasoning using 〜んです. For 3), create your own conversation. Use #4 on p.321 of *TOBIRA I* as a model.

G2

1）ルームメート：雨が降っているから、〇〇さんのかさ (umbrella) を貸してくれませんか。
あめ　ふ　　　　　　　　　　　　　　　　　　　　　　　　　　か

あなた　　　：すみません、_____んです。

2）ルームメート：おなかがすいたから、ハンバーガーを食べに行きませんか。

あなた　　　：_____。

3）ルームメート：_____。

あなた　　　：_____。

Lesson 9

できるⅢ

★ 8 Share your impressions on the pictures provided. Fill in __ with an adjective or a verb and そう as in the example.

G3

Ex.1 このケーキは＿＿おいしそうです＿＿。　　**Ex.2** このケーキは＿＿おいしくなさそうです＿＿。

1) 　　2) not good 　　3) diligent 　　4) not diligent

5) cold 　　6) cry 　　7) snow 　　8) not spicy

1）この二人は仲が_____。　　2）この二人は仲が_____。
なか　　　　　　　　　　　　　　　　　　　　　なか

3）この学生は_____。　　4）この学生は_____。

5）あの人は_____。海の水は_____。

6）この子どもは_____。　　7）雪が_____。
ゆき

8）この子どものカレーは_____。

105

2 **Ex.**   1)   2) smart   3) nice [personality]

Ex. ＿＿＿甘そうな＿＿＿ドーナツです。　1) ＿＿＿＿＿＿＿＿＿＿＿セーターです。
　　　　　　あま

2) ＿＿＿＿＿＿＿＿＿＿＿＿＿＿学生です。　3) ＿＿＿＿＿＿＿＿＿＿＿＿人です。

3 **Ex.**   1) fun   2) sad   3) painful

Ex. ＿＿＿うれしそうに＿＿＿笑っています。1) 電話で＿＿＿＿＿＿＿＿＿＿話しています。
　　　　　　　　　　　　　わら　　　　　　　でんわ

2) ＿＿＿＿＿＿＿＿＿＿＿＿＿泣いています。 3) 足が＿＿＿＿＿＿＿＿＿＿歩いています。
　　　　　　　　　　　　　　な　　　　　　　　　　　　　　　　　　　　ある

★★ 9 **G3** Japan House members are having a picnic in the park. Based on the picture below, choose the most appropriate words from [　] to complete the sentences.

Ex. ピザやサラダは［a. おいしそう　　b. おいしいそう　　c. おいしそうな］です。

1) アイさんとタオさんは［a. 楽しそう　b. 楽しそうな　c. 楽しそうに］歌っています。
　　　　　　　　　　　　　　　　　　　　　　　　　　　　　　　　　　　うた

2) リーマンさんは気分が［a. いいそう　b. よさそう　c. よさそうな］です。
　　　　　　　　きぶん

3) 小さいイヌが［a. うれしそう　b. うれしそうな　c. うれしそうに］走っています。
　　　　　　　　　　　　　　　　　　　　　　　　　　　　　　　　　　　はし

4) リーマンさんの横に［a. 難しそうな　b. 難しそうに　c. 難しい］本があります。
　　　　　　　　よこ　　　むずか　　　　　　むずか　　　　　　むずか

5) マークさんは虫 (bug) に興味が［a. あらそう　b. ありそう　c. あるそう］です。
　　　　　　　　むし　　　　　きょうみ

6) 圭太さんはおなかが［a. 痛い　b. 痛いそう　c. 痛そう］です。
　けいた　　　　　　　　　いた　　　いた　　　　　いた

7) にゃんたは［a. ねむそう　b. ねむいそう　c. ねむそうに］です。

8) にゃんたのとなりに［a. こわそう　b. こわそうな　c. こわそうに］イヌがいます。

⑩ Complete the following thoughts using the cues provided.

G4 1) たくさん_____から、明日の試験は_____と思います。
　　　　　　　　"studied"　　　　　　　　　　　しけん　　　　　"all right"　　　　　おも

2) アイさんは_____から、今、部屋で_____と思います。
　　　　　　"caught a cold"　　　　　　　へや　"is sleeping"　　　おも

3) カジュアルスピーチは_____が、話すのは_____と思います。
　　　　　　　　　　"interesting"　　　　　　　　　"difficult"　　　おも

4) A：このアパートを_____思いますか。
　　　　　　　　　　　　おも

　　B：近くにコンビニがないから、あまり_____と思います。
　　　　ちか　　　　　　　　　　　　　　　"not convenient"　　おも

　　A：私も_____思います。でも、部屋は_____と思います。
　　　　　　　おも　　　　　　　へや　"so-so"　　　おも

5) コンサートは_____が、チケットはちょっと_____
　　　　　　　"was good"　　　　　　　　　　　　　　"was expensive"
と思います。
おも

6) 今日は、午後から_____と思います。
　　　　　　　　　"will rain"　　おも

7) 妹は、一番かっこいいスポーツは_____と思っています。
　　　いちばん　　　　　　　　　　"soccer"（サッカー）　おも

⑪ Answer the questions with your own guesses based on the pictures provided.

G4 **Ex.**

　　Q：これは何ですか。

　　A：_ドーナツだと思います_。
　　　　　　　　　おも

1)

Q：これは何ですか。

A：_____。

2)

Q：これはだれのぼうしですか。

A：_____。

3)

Q：何をしていますか。

A：_____。

⑫ Answer the questions with your own guesses about Nyanta. Use 思います in your answers. For 3),
　　　　　　　　　　　　　　　　　　　　　　　　　　　　　　　　おも
G4 provide your reasoning using ～からです.

1) にゃんたは何才ですか。
　　　　　　さい

_____。

2) にゃんたは昨日何を食べましたか。
　　　　　　きのう

_____。

Lesson **9**

3) 昨日の夜、にゃんたはだれと寝ましたか。どうしてそう思いますか。
   きのう よる　　　　　　　　　　　ね　　　　　　　　　　　おも

   _____。

   _____からです。

4) にゃんたは赤ちゃん (baby) の時、どんなネコでしたか。
   　　　　　　あか

   _____。

★★ ⑬ Answer the questions with your own opinions. Use 思います in your answers. For 1), provide your
おも
reasoning using 〜からです.

G4

1) あなたの学校についてどう思いますか。
   　　　　がっこう　　　　　おも

   _____。
   [Give two opinions using *te*-forms.]

   _____。

2) どんなアプリを使って日本語を勉強していますか。そのアプリについてどう思いますか。
   　　　　　　つか　　　　　べんきょう　　　　　　　　　　　　　　おも

   _____アプリを使って勉強しています。
   　　　　　"called"　　　　　　　　つか　べんきょう

   _____。

3) あなたの {国／町} についてどう思いますか。
   　　　　　[↑ Circle one.]　　　　おも

   _____。

できるⅣ

★★ ⑭ Complete the sentences using the weather forecast below. Use 〜と言っていました as in the example.

G5

	Ex. 東京 とうきょう	1) 北海道 ほっかいどう	2) 名古屋 なごや	3) 大阪 おおさか	4) 福岡 ふくおか
明日の 天気 てんき	AM PM		from morning till night	AM PM	

Ex. 天気予報は、東京は明日_____午前はくもりで、午後は雨が降る_____と言っていました。
　　てんきよほう　とうきょう　　　　　　　　　　　　　　　　　　　　　　ふ

1) 天気予報は、北海道は明日_____と言っていました。
　　てんきよほう　ほっかいどう

2) 天気予報は、名古屋は明日_____。
　　てんきよほう　なごや

3) 天気予報は、大阪は明日_____。
　　てんきよほう　おおさか

4) 天気予報は、福岡は明日_____。
　　てんきよほう　ふくおか

★★★
15 Answer the questions in one sentence based on the indicated passages. Use 〜と言っていました in your answers.

G5

1）L9かいわ②(p.298)：黒田先生は天気について何と言っていましたか。
　　くろだ　　　　てんき

　　_____。

2）L9かいわ③(p.299)：圭太さんはスーパー銭湯について何と言っていましたか。
　　けいた　　　　　　　　　　　せんとう

　　_____。

Lesson **9**

★★★
16 Two students are talking about how to say computer-related words in Japanese and English. Complete the exchanges using #4 on p.326 of *TOBIRA I* as a model. (You may search for the answers on the internet.)

G5

1）A：「入力する」は英語で_____。
　　　　にゅうりょく　　　　えいご

　　B：_____。

2）A："to save photos" は_____。

　　B：「写真を_____」_____。
　　　　しゃしん

3）your own

　　A：_____。

　　B：_____。

できるⅤ

★★
17 Complete the sentences using the 〜たり〜たりする structure and the cues provided. For 3) and 4), provide your own information.

G6

1）今から部屋を_____。（そうじする／かたづける）
　　　　　　へや

2）日本で_____たいです。（書道を習う／着物を着る）
　　　　　　　　　　　　　　　　　　　　　　　　　　しょどう　なら　　きもの　き

3）私は日本語の単語を_____て覚えます。
　　　　　　　　たんご　　　　　　　　　　　　　　　　　　　　　　　　　おぼ

4）日本語のクラスでは_____ないでください。

★★
18 Answer the questions based on your own information using the 〜たり〜たりする structure.

G6

1）子どもの時、何をして遊びましたか。
　　　　　　　　　　　　　あそ

　　_____。

2）ひまな時 (in your free time)、何をするのが好きですか。

　　_____。

3) 図書館に何をしに行きますか。
　　としょかん

_____。

19 Based on the pictures provided, complete the questions using 〜たことがあります as in the example.
G7 Fill in (　) with the appropriate particles. Then, answer the questions based on your own information.

Ex.
書道
しょどう

1)

カメ

2)

3)

お化け
ば

4)
ウマ

5)

6)

7)

Ex. Q：<u>書道をしたことがありますか</u>。　　A：<u>はい、あります</u>。or <u>いいえ、ありません</u>。
　　　　　しょどう

1) Q：カメ（　　　）_____。　A：_____。

2) Q：日本語の_____。　A：_____。

3) Q：お化け（　　　）_____。　A：_____。
　　　　ば

4) Q：ウマ（　　　）_____。　A：_____。

5) Q：友達（　　　）_____。　A：_____。
　　　ともだち

6) Q：本を読んで、_____。　A：_____。

7) Q：温泉（　　　）_____。　A：_____。
　　　おんせん

20 Answer the questions with a yes or no, and add more information as in the example.

G7 **Ex.** Q：たこ焼きを食べたことがありますか。
　　　　　　や
　　　A：いいえ、ありません。でも、食べてみたいです。

1) Q：有名な人に会ったことがありますか。

　　A：_____

2) Q：インターンシップをしたことがありますか。

　　A：_____

★★★
㉑ Choose two questions from #18, 19, or 20 and ask them to anyone in any language. Then, report
their answers in Japanese using 〜と言っていました as in the example.

Ex.1 #18 1） 友達は子どもの時、かくれんぼ (hide and seek) をしたり、レゴで家を作ったりして
遊んだと言っていました。
ともだち 　　　　　　　　　　　　　　　　　　　　　　いえ
あそ

Ex.2 #19 Ex. 姉は書道をしたことがないと言っていました。
しょどう

Lesson **9**

#____　_____　_____。

#____　_____　_____。

まとめのれんしゅう | Comprehensive practice

★★
㉒ You are talking with a participant at a Japanese conversation meet-up. Complete the dialogue using
the cues provided.

あなた：川口さんは 1)_____。
かわぐち 　　　　　　　　　"Have (you) been to any foreign countries?"

川口 ：はい、あります。色々な所に行きましたよ。
かわぐち 　　　　　　　いろいろ ところ

あなた：そうですか。どこ 2)_____。
　　　　　　　　　　　　　　"(Which place) was interesting?"

川口 ：そうですね。ケニアがよかったです。そこでサファリツアーに行きました。
かわぐち

あなた：えっ、ケニアに行ったことがあるんですか！　サファリツアーで何をしましたか。

川口 ：色々な動物 3)_____、ゾウ 4)_____ しました。
かわぐち いろいろ どうぶつ 　　"(did things like) seeing ... and riding on ..."

あなた：ゾウは大きくて 5)_____ね。
　　　　　　　　　　　"a little scary" [Give impression.]

　　　　6)_____ か。　　　　　　　　　　　ゾウ
　　　　　"walked slowly"

川口 ：いいえ、実は 7)_____。だから、8)_____ のは大変でした。
かわぐち じつ "was very fast" [Give explanation.] 　　"to be riding on" たいへん

　　　　ところで (by the way)、〇〇さんは日本に行ったことがありますか。

あなた：はい、9)_____。10)_____ ました。

　　　　or いいえ、11)_____。12)_____ てみたいです。

　　　　[↑Choose はい or いいえ and complete the second sentence using the 〜たり〜たりする structure.]

You are talking with your friend from Japanese class. Complete the following dialogue in **casual speech**.

友達 ：〇〇さん、日本語のクラス 1)_____
ともだち
　　　　　　　　　　　　　　　"What do (you) think about (Japanese class)?"

あなた：そうだね、2)_____ から、3)_____。
　　　　　　　　　　　　　　　　　　　　　　　[Give your own opinion.]

友達 ：うん、僕 4)_____。あ、もう 12 時！ 5)_____ね。
ともだち 　　 ぼく 　"(I) think so, too."　　　　　　　　　"I am hungry." [Pay attention to tense in Japanese.]

　　　　おいしいラーメンが 6)_____。
　　　　　　　　　　　　　　　　"(I) want to eat."

あなた：あ、いいね。「ももたろう」はどう？ 7)_____ある？
　　　　　　　　　　　　　　　　　　　　　　　　　　　　"Have you been (there)?"

　　　　　　　　　　　　　　　　　　　　　　　　　　　　　　　　　　hot pepper

友達 ：ううん、ない。どんな店？
ともだち 　　　　　　　　　みせ

あなた：すごくおいしいラーメン屋！　ここに写真があるよ。
　　　　　　　　　　　　　や　　　　　　しゃしん

友達 ：わあ、8)_____。
ともだち 　　　　　　[Gives impression based on the photo]

あなた：うん、でも、だいじょうぶ。からくないラーメンもあるから。

友達 ：じゃ、ここで食べたい。アイちゃんにも電話してみる？
ともだち 　　　　　　　　　　　　　　　　　　　でんわ

あなた：今日、授業でアイちゃんは 9)_____。
　　　　　じゅぎょう　　　　　　　　　　　　[Quotes what Ai said]

　　　　だから、たぶん 10)_____思うよ。
　　　　　　　　　　　　　　　　　　　　　　おも

友達 ：そっか。残念だね。
ともだち 　　　ざんねん

I have a headache.

きくれんしゅう | Listening practice

1 Listen to statements 1)-3) describing Tokyo (とうきょう) and write them down. Use katakana and kanji where applicable. 🔊 **L9-1**

1) _____

2) _____

3) _____

2 Listen to questions 1)-3) and answer them based on your own information using casual speech. 🔊 **L9-2**

1) _____

2) _____ [Use ～たり～たりする.]

3) _____

3 Listen to the conversations between Kim-san (female) and Tanaka-san (male). Each conversation will end with a beep, indicating a missing line. Then, listen to statements a, b, and c and circle the most appropriate statement for the missing line. 🔊 **L9-3**

1) a   b   c   2) a   b   c   3) a   b   c

4 Listen to the weather forecast for tomorrow, then fill in the table in English. 🔊 **L9-4**

では＝じゃあ   ～でしょう：it is probably ...

City	Weather	Temperature	City	Weather	Temperature
Sendai		℃	Nagoya		℃
Tokyo		℃	Osaka		℃

5 Listen to the conversation between Ai and Tom and mark ○ if the statement is true and ✕ if it is false. 🔊 **L9-5**

1) (   ) Tom has never heard of or eaten Tokyo Banana.

2) (   ) Tom thinks that Japanese sweets look delicious.

3) (   ) Ai thinks that the names of Japanese sweets are strange.

4) (   ) Tom and Ai will go to Japan with Mike over spring break to buy Japanese snacks.

いちご大福
だいふく

6 challenge Listen to the dialogue **three times** as instructed in Steps 1-3. In each step, listen WITHOUT PAUSING. 🔊 **L9-6**

Step 1 Without taking notes, listen through the entire dialogue to get the whole picture. Then, write down what you remember on a sheet of paper. (You may write in the common language of your class.)

Step 2 Using the same paper, take notes while listening to the dialogue and add more information.

Step 3 Go over your notes while listening to the dialogue. Add or modify information as needed.

たんごのれんしゅう ｜ Vocabulary practice

① Match the words in the middle with their English meanings on the left and opposites on the right.

good	•	**Ex.** しあわせ ————	ふしあわせ (unhappy)	
happy	•	• いい	• あぶない	
bright	•	• おおい	• おそい	
early; fast	•	• かるい	• おもい	
light [weight]	•	• つよい	• くらい	
safe	•	• はやい	• すくない	
strong	•	• ひろい	• せまい	
wide; spacious	•	• あんぜん	• よわい	
a lot	•	• あかるい	• だめ	

② Match the occupations from the box with their corresponding pictures.

> いしゃ　　べんごし　　しゃちょう　　さっか　　かしゅ
> はいゆう　　やきゅうせんしゅ　　すいえいのコーチ

1) _____　2) _____　3) _____　4) _____

5) _____　6) _____　7) _____　8) _____

3 Match the words in the box with their corresponding pictures.

a. いなか	b. とかい	c. かぜ	d. くも	e. そら
f. たいよう	g. はなび	h. ふね	i. みずうみ	j. みち

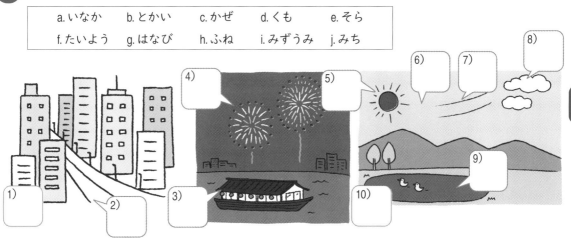

4 Fill in __ with the appropriate nouns from the box to complete the sentences. You may use each word only once.

かみ	じしん	じゅぎょうりょう	せいせき	せき	やちん

1) この_____に「家」という字を書いてください。
   _じ

2) この_____に座ってください。
   _{すわ}

3) この大学は_____が高いです。

4) 都会のアパートは_____が高いです。
   _{と かい}

5) 妹は 頭 がよくて、学校の_____がいいです。
   _{あたま}

6) 日本ではときどき_____があります。

じょしのれんしゅう | Particle practice

Fill in ( ) with the appropriate particles. You may use the same particle more than once.

1) 私は 将 来 NPO で 働 いて、色々な国の人 （　　　） 助けたいです。
   _{しょうらい}　_{はたら}　_{いろいろ}　_{たす}

2) 今晩パーティーをするから、食べ物と飲み物 （　　　） 準 備します。
   _{こんばん}　_{じゅん び}

3) 最近、友達のヘアスタイル （　　　） 変わりました。
   _{さいきん}　_{ともだち}　_か

4) 大学一年生の時、専攻 a.（　　　） 決めました。数学 b.（　　　） 決めました。
   _{せんこう}　_き　_{すうがく}　_き

ぶんぽうのれんしゅう｜Grammar practice

できるⅠ

1 Fill in the table with the adverbial forms of the given adjectives in hiragana.

G1

Dictionary form	Adverbial form	Dictionary form	Adverbial form
おおきい	おおきく	しずか	しずかに
はやい		じょうず	
つよい		べんり	
おおい		あんぜん	
いい		たのしそう	

2 Choose the most appropriate forms to complete the sentences.

G1
1) 今日は［a. 朝早い　　b. 朝早く　　c. 朝早いに］起きて、運動します。

2) この歌手はとても［a. 上手　　b. 上手な　　c. 上手に］歌を歌います。

　それから、［a. かっこいい　　b. かっこよく　　c. かっこいいに］おどります。

3) すみませんが、少し［a. 静か　　b. 静かな　　c. 静かに］話してくれませんか。

4) ご飯の前に、手を［a. きれい　　b. きれいな　　c. きれいに］洗ってください。

5) ご飯の時、にゃんたはいつも［a. おいしそう　　b. おいしそうな　　c. おいしそうに］食べます。

3 How have the environment and people's lives changed over time? Describe the changes using the cues provided. Fill in ( ) with the appropriate particles.

G2

Ex. 昔 と比べて (compared to the past)、建物 （が）多くなりました。(more)

1) 気温（　　）_____。(higher)

2) 木（　　）_____。(fewer)

3) ごみ（　　）_____。(more)

4) 海の水（　　）_____。(dirtier)

5) 生活（　　）_____。(more convenient)

6) パソコンやスマホ（　　）もっと_____。(more important)

7) your own _____。

116

4 Describe how Ai and her life have changed using the cues provided.

G2 **Ex.** アイさんは大学生になって、料理が<u>上手になりました</u>。(be good at)
りょうり

1) アイさんは大学に入って、とても_____なりました。(busy)

2) ちょっと_____。(homesick)

3) 最近、成績が_____。(good)
さいきん せいせき

4) 日本の文化がもっと_____。(like)
ぶんか

5) ジャパンハウスの生活は楽しいから、_____。(cheerful)
せいかつ

6) ちょっと目が_____。(bad)

5 Choose an event from the box and talk about any resulting changes in your life. Do not use verbs before なる . (See できる I-B #1 on p.355 of *TOBIRA I.*)
G2

> **Possible topics** ～に入る (大学/クラブ etc.)   ～に留学する   ～を始める
> りゅうがく   はじ

私は_____て、_____。

{それから/でも} 、_____。
   [↑ Choose one.]

6 Write about what kind of person you wanted to grow up to be as a child and whether or not that has changed.
G2

私は子どもの時、_____。
           [the kind of person you wanted to be (Exs. a strong person, a kind person)]

_____からです。
              [reason]

今 {は/も} _____。
   [↑ Choose one.]

それから、_____たいです。

7 Jean decided to make some changes to his room in Tokyo. Fill in __ using the cues provided and ( ) with the appropriate particles.

G2 **Ex.** 部屋をかたづけて、部屋 (を) <u>広くしました</u>。(spacious)
へや   へや   ひろ

1) 部屋が暗かったから、部屋 (   ) _____。(bright)
へや くら   へや

2) かべの色 (   ) _____。(white)
いろ

3) キッチンがきたなかったから、キッチン (   ) _____。(clean)

4) 服がたくさんあったから、友達にあげて、服（　　）_____。 (few)
　　ふく　　　　　　　　　　　　　　ともだち　　　　　　ふく

5) ときどき地震があるから、部屋（　　）もっと_____。 (safe)
　　　　　　　じしん　　　　　　へや

6) ソファが古かったから、ソファ（　　）_____。 (new)
　　　　　ふる

★★
8 Based on the pictures provided, describe what change each person had made and what the result
G2 was. Fill in (　) with the appropriate particles.

Ex.　　　　　1)　　　　　　　2)　　　　　　　3)　　happy 4)　　　　cat

Ex. 部屋（ を ）すずしくしました。→ 部屋（ が ）すずしくなりました。
　　　へや　　　　　　　　　　　　　　へや

1) 長い髪（　　）_____しました。→ 髪（　　）_____なりました。
　　なが　かみ　　　　　　　　　　　　　　　　かみ

2) おいしくなかったから、スパイスを入れて、カレー（　　）_____。
　　　　　　→ カレー（　　）_____。

3) 王子 (prince)（　　）シンデレラ（　　）_____。
　　おうじ
　　　　　　→ シンデレラ（　　）_____。

4) アプリで友達の顔（　　）_____。
　　　　　　ともだち　かお
　　　　　　→ 友達の顔（　　）_____。
　　　　　　　ともだち　かお

★★
9 Your classmate is helping you design an avatar for your online profile. Make appropriate requests for
G2 its design using Adj(*i*)-stem くする , Adj(*na*) にする , and N にする .

1) A：すみません。黒い髪はいやだから、_____くれませんか。
　　　　　　　くろ　かみ

　　B：青ですね。分かりました。
　　　　あお

2) A：服がつまらないから、もっと_____。
　　　　ふく

　　B：かっこいい服ですね。分かりました。
　　　　　　　　　ふく

3) A：足がきれいじゃないから、_____。

　　B：きれいな足ですね。分かりました。

4) A：40オぐらいに見えるから、もう少し_____。
　　　　　さい　　　　　　　　　　すこ

　　B：えっ？　そうですか。若く…
　　　　　　　　　　　　わか

★★ 10 Write about 1) what job you want to have in the future, 2) why, and 3) what you would or wouldn't want to do in it. (See #3 on p.358 of *TOBIRA I*.)

G2

1）私は_____。

2）_____からです。

3）_____。

できるⅡ

★ 11 Choose the most appropriate particles, words, or phrases in [ ] to complete the sentences.

G3
1）「佐藤」は日本人の名前の中［a. に　b. で　c. の］一番多いです。
　さとう　　　　　　　　　　　　　　　いちばんおお

2）「佐藤」は日本［a. に　b. で　c. の］一番多い名前です。
　さとう　　　　　　　　　　　　いちばんおお

3）東京の家賃［a. は　b. の　c. で］日本［a. に　b. で　c. の］一番高いです。
　とうきょう　やちん　　　　　　　　　　　　　　　　いちばん

4）東京［a. は　b. の　c. で］日本の町の中［a. に　b. で　c. の］一番家賃が高いです。
　とうきょう　　　　　　　　　　　　　　　　　　　　いちばん やちん

5）食べ物［a. の中で　b. の中　c. で］［a. どちら　b. 何　c. どれ］が一番好きですか。
　　　　　　　　　　　　　　　　　　　　　　　　　　　　いちばん

6）この町の日本料理のレストランは［a. 何　b. どこ　c. どちら］が一番おいしいと思いますか。
　　　　　りょうり　　　　　　　　　　　　　　　　　　　　いちばん

7）音楽の［a. 中は　b. 中の　c. 中で］何［a. が　b. を　c. は］一番よく聞きますか。
　　　　　　　　　　　　　　　　　　　　　　　いちばん

8）買い物はどこ［a. が　b. を　c. に］一番よく行きますか。
　　　　　　　　　　　　　　　　　いちばん

★★ 12 Complete the sentences using the cues provided. Fill in ☐ with the appropriate question words and ( ) with the appropriate particles. Then, write your own answers in ‿.

G3

Ex. 食べ物　　　　Q：食べ物の中（ で ）　何　（ が ）一番好きですか。
　　　　　　　　　　　　　　　　　　　　　　　　　　　いちばん
　　（好き）　　A：ピザが一番好きです。
　　　　　　　　　　　　　いちばん

1）歌手　　　　　Q：_____（　）☐（　）一番_____。
　　かしゅ　　　　　　　　　　　　　　　　　　　　いちばん
　　（好き）　　A：_____

2）授業　　　　　Q：今学期の_____（　）☐（　）一番_____。
　　じゅぎょう　　　　こんがっき　　　　　　　　　　　　　　いちばん　　[adjective]
　　（your own）A：_____

3）地震／火事／　Q：地震（　）火事（　）病気_____（　）☐（　）
　　じしん　かじ　　　じしん　　　　かじ　　　びょうき
　　病気　　　　　　　一番_____。
　　びょうき　　　　　いちばん
　　（こわい）　A：_____

4）アプリ　　　　Q：_____（　）☐（　）一番よく_____。
　　　　　　　　　　　　　　　　　　　　　　　　　　いちばん
　　（使う）　　A：_____
　　　　つか

5) your own   Q : _____ (   ) ⬚ (   ) 一番よく_____。
                 [place]　　　　　　　　　　　　　いちばん

（行く）   A : 〜〜〜〜〜〜〜〜〜〜〜〜〜〜〜〜〜〜〜〜〜〜〜〜〜〜〜。

6) your own   Q : _____ (   ) ⬚ (   ) 一番よく_____。
                 [people]　　　　　　　　　　　　　いちばん

（話す）   A : 〜〜〜〜〜〜〜〜〜〜〜〜〜〜〜〜〜〜〜〜〜〜〜〜〜〜〜。

★★ 13 / G3 In the country or region you live in, who or what is at the top in the following categories? Write your opinions as in the example.

Ex. 日本のファストフードの店（多い）
　　　　　　　　みせ　おお

日本のファストフードの店の中でマクドナルドが一番多いと思います。
　　　　　　　　みせ　　　　　　　　　　　　　いちばんおお

1) 日本の会社（有名）
　　　かいしゃ

_____ と思います。

2) スポーツ選手 or 歌手や俳優（お金持ち）
　　　せんしゅ　　かしゅ　はいゆう　　かねも

_____。

3) 若い俳優 or 若い歌手（人気がある）
　わか　はいゆう　わか　　かしゅ

_____。

4) your own

_____。

★★★ 14 / G3 Complete the following conversation between you and your teacher using the cues provided.

先生　　：〇〇さんは SNS 1)_____。
　　　　　　　　　　　　　　　　　"most often use"

あなた：SNS ですか。2)_____。
　　　　　　　　　　　　　　　[Answer in detail.]

先生　　：そうですか。その SNS をどう思いますか。

あなた：えっと、3)_____ と思います。

先生　　：分かります。日本では 4)_____。
　　　　　　　　　　　　　　　　　　"want to go the most"

あなた：んー、5)_____ から、6)_____。

先生　　：そうですか。じゃ、日本の文化 7)_____。
　　　　　　　　　　　　　　ぶんか　　　　　"interested in the most"

あなた：8)_____。
　　　　　　　　　　[Answer in detail.]

できるⅢ

★15 For 1) and 2), fill in ( ) with the appropriate particles, then choose the most appropriate word in [ ] to describe what the given topics have in common. For 3) and 4), fill in __ to complete the sentences.

G4

1) 東京もニューヨーク（　　　）どちらも［a. いなか　b. 都会］です。

2) せまい道も暗い道（　　　）どちらも［a. 危ない　b. 安全］です。

3) 私は＿＿＿＿＿＿＿＿＿も＿＿＿＿＿＿＿＿＿もどちらも好きじゃないです。

4) ＿＿＿＿＿＿＿＿＿も＿＿＿＿＿＿＿＿＿もどちらも＿＿＿＿＿＿＿＿＿。

★16 You are a celebrity being interviewed after a tour. Answer the questions using X も Y も .

G4 **Ex.** Q：リムジンやプライベートジェットに乗りましたか。

A：はい、リムジンにもプライベートジェットにも乗りました。

1) Q：タイ (Thailand) やスイス (Switzland) に行きましたか。

A：はい、＿＿＿＿＿＿＿＿＿＿＿＿＿＿＿＿＿＿＿＿＿＿＿。

2) Q：ホテルのスイートルームやお城 (castle) に泊まりましたか。

A：はい、＿＿＿＿＿＿＿＿＿＿＿＿＿＿＿＿＿＿＿＿＿＿＿。

3) Q：有名な歌手や俳優といっしょにゴルフをしましたか。

A：はい、＿＿＿＿＿＿＿＿＿＿＿＿＿＿＿＿＿＿＿＿＿＿＿。

4) Q：日本や韓国でおいしい料理を食べましたか。

A：はい、＿＿＿＿＿＿＿＿＿＿＿＿＿＿＿＿＿＿＿＿＿＿＿。

★★17 Answer the questions about your school. Use double particles as necessary.

G4 **Ex.** Q： キャンパスや大学の近くは安全ですか。

A： はい、キャンパスも大学の近くも安全です。／いいえ、キャンパスも大学の近くも安全じゃないです。／キャンパスは安全ですが、大学の近くは安全じゃないです。

1) Q：学校にバスケットボール部や野球部がありますか。

A：＿＿＿＿＿＿＿＿＿＿＿＿＿＿＿＿＿＿＿＿＿＿＿。

2) Q：卒業生 (alumni) の中に有名な作家や俳優がいますか。

A：＿＿＿＿＿＿＿＿＿＿＿＿＿＿＿＿＿＿＿＿＿＿＿。

3) Q：学生はバスや自転車で学校に行きますか。

A：＿＿＿＿＿＿＿＿＿＿＿＿＿＿＿＿＿＿＿＿＿＿＿。

18 For each given pair, write two affirmative sentences that describe their differences as in the example.

G5 Ex. アメリカ／日本

アメリカは日本より大きいです。それから、（アメリカは）日本より人が多いです。

1) バイク／自転車

バイクは＿＿＿＿＿＿＿＿＿＿＿＿＿＿＿＿＿＿＿＿＿＿＿＿＿＿。

それから、＿＿＿＿＿＿＿＿＿＿＿＿＿＿＿＿＿＿＿＿＿＿＿＿＿＿。

2) スマホ／パソコン

スマホは＿＿＿＿＿＿＿＿＿＿＿＿＿＿＿＿＿＿＿＿＿＿＿＿＿＿。

＿＿＿＿＿＿＿＿＿＿＿＿＿＿＿＿＿＿＿＿＿＿＿＿＿＿＿＿＿＿＿。

3) 大学の生活／高校の生活

大学の生活は＿＿＿＿＿＿＿＿＿＿＿＿＿＿＿＿＿＿＿＿＿＿＿＿。

＿＿＿＿＿＿＿＿＿＿＿＿＿＿＿＿＿＿＿＿＿＿＿＿＿＿＿＿＿＿＿。

4) 昔の〇〇 [your own] ／今の〇〇 [your own]

＿＿＿＿＿＿＿＿＿＿＿＿＿＿＿＿＿＿＿＿＿＿＿＿＿＿＿＿＿＿＿。

＿＿＿＿＿＿＿＿＿＿＿＿＿＿＿＿＿＿＿＿＿＿＿＿＿＿＿＿＿＿＿。

19 For 1) and 2), answer the questions provided. For 3) and 4), write questions that would elicit the given responses.

G5

1) Q：ピザとハンバーガーとどちらのほうが好きですか。

A：＿＿＿＿＿＿＿＿＿＿＿＿＿＿＿＿＿＿＿＿＿＿＿＿＿＿＿＿。

2) Q：今、時間とお金とどちらのほうがほしいですか。

A：＿＿＿＿＿＿＿＿＿＿＿＿＿＿＿＿＿＿＿＿＿＿＿＿＿＿＿＿。

3) Q：＿＿＿＿＿＿＿＿＿＿＿＿＿＿＿＿＿＿＿＿＿＿＿＿＿＿＿＿。

A：野球部よりサッカー部のほうが部員 (club members) が多いです。

4) Q：＿＿＿＿＿＿＿＿＿＿＿＿＿＿＿＿＿＿＿＿＿＿＿＿＿＿＿＿。

A：大阪も横浜もどちらも都会です。

★★
20 Answer the following questions. Include a reason for your answers

G5 1）スポーツとアニメとどちらのほうをよく見ますか。

_____。

2）部屋と図書館とどちらのほうでよく勉強しますか。
　　へ や　　としょかん

_____。

3）将来、都会といなかとどちらのほうに住みたいですか。
　しょうらい　とかい

_____。

★
21 Complete the sentences using the cues provided.

G6 **Ex.** 安いです → <u>安いけれど</u>、買いません。
　　　やす　　　　やす

1）ホームステイします→ 来週東京で_____けれど、まだ準備していません。
　　　　　　　　　　　とうきょう　　　　　　　　　　　　　　じゅんび

2）ありません → お金が_____、幸せです。
　　　　　　　　　　　　　　　　　　　しあわ

3）勉強しました → _____、試験の成績はよくなかったです。
　べんきょう　　　　　　　　　　　　　　　　　　　しけん　せいせき

4）高いです → 私の大学は授業料が_____、りょうは安いです。
　　　　　　　　　　　じゅぎょうりょう　　　　　　　　　　　　　　やす

5）よくなかったです → 天気が_____、旅行は楽しかったです。
　　　　　　　　　　　　　　　　　　　　　　りょこう

6）安全です → このアパートは_____、便利じゃないです。
　あんぜん　　　　　　　　　　　　　　　　　　べんり

7）ひまでした → 先週は_____、今週は毎日忙しいです。
　　　　　　　　　　　　　　　　　　　　　いそが

8）お金持ちです → あの人は_____、安い車に乗っています。
　かねも　　　　　　　　　　　　　　　　　やす　　の

9）選手でした → 父は昔、野球の_____、今は何もスポーツをしていません。
　せんしゅ　　　　むかし　やきゅう

★
22 Your friend is asking you about your trip to Tokyo. Choose the most appropriate phrases in [ ] to complete your responses.

G6
1）東京の花火は［a.きれいで　b.きれいだったけど］、とてもよかったよ。
　とうきょう　はなび

2）ホテルの部屋は［a.せまくて　b.せまかったけど］、とてもきれいだったよ。
　　　　　へや

3）東京の地下鉄は［a.便利で　b.便利だったけど］、安全だったよ。
　とうきょう　ちかてつ　　べんり　　べんり　　　　あんぜん

4）東京の道は人が［a.多くて　b.多かったけど］、ごみは少なかったよ。
　とうきょう　みち　　　おお　　おお　　　　　　すく

5）新幹線 (bullet train) は［a.速くて　b.速かったけど］、便利だったよ。
　しんかんせん　　　　　　　はや　　はや　　　　べんり

★★ 23 You are answering a survey about your university or high school. Answer each question with both a pro and a con about your school.

G6

Ex. Q：{⟨大学⟩／高校} についてどう思いますか。

A：ちょっと授業料が高いけれど、おもしろいクラスがたくさんあります。
じゅぎょうりょう
だから、いい大学だと思います。

1) Q：{大学／高校} についてどう思いますか。
   [↑ Circle one.]

A：_____

2) Q：学校の食堂についてどう思いますか。
   しょくどう

A：_____

3) Q：今の学校の生活についてどう思いますか。
   せいかつ

A：_____

★ 24 You are working as a campus tour guide for a group of Japanese students. Fill in __ to describe facilities available on campus and what they can do there.

G7

Ex. ここはジムです。ここで泳ぐことができます。
おょ

1) ここは「_____」というカフェです。ここで_____できます。

2) ここは「_____」という建物です。ここで_____。
   たてもの

3) ここは「_____」という所です。ここで_____。
   ところ

★★ 25 You are describing your favorite app to a friend. Fill in __ to explain what you can and cannot do with it.

G7 **Ex.** これは「ハナシテ」というアプリです。これを使って友達に電話することができるけれど、
つか　　　ともだち　でんわ
写真をとることはできません。
しゃしん

これは_____。これを使って_____
つか

_____けれど、_____。

★★★ 26 You are talking with your friend. Fill in __ to complete the dialogue.

G7 友達：将来、都会といなかとどちらのほうに住みたいですか。
ともだち　しょうらい　とかい

あなた：そうですね、1)_____。

友達：そうですか。どうしてですか。
ともだち

あなた： 2)_____けれど、

　　　　 3)_____。
　　　　　　　　　　　　　　[Use "can" or "cannot".]

友達　： そうですか。
ともだち

まとめのれんしゅう | Comprehensive practice

★★★
27　Complete the dialogue between you and your new Japanese friend, Tanaka-san, using the cues provided.

田中　：あのう、○○さんの出身はどこですか。
　　　　　　　　　　　　しゅっしん

あなた： 1)_____。

田中　：そうですか。2)_____。
　　　　　　　　　　[Asks what you can do in your hometown]

あなた：そうですね、3)_____たり、4)_____たり 5)_____。

田中　：そうですか。いいですね。行ってみたいです。

　　　　　一年の中 6)_____。
　　　　　　　　　　　　"when is the best (time throughout the year (to visit))"

あなた：7)_____。

田中　：へえ、そうですか。あのう、実は私は来年、留学したいんですが、留学について聞い
　　　　　　　　　　　　　　　　　じつ　　　　　りゅうがく　　　　　　　　　りゅうがく
　　　　てもいいですか。

あなた：ええ。どうぞ。

田中　：8)_____と思いますか。
　　　　　　　　[Asks which is better between a dorm and homestay]

あなた：そうですね。9)_____けれど、

　　　　 10)_____。だから、11)_____と思います。

田中　：そうですか。分かりました。よく考えてみます。ありがとうございました。
　　　　　　　　　　　　　　　　　　かんが

★★★
28　Choose either question below and answer in four or more sentences. Use a separate sheet of paper and include your opinion, reason, and what you can/cannot do in your answer.

　□ アニメの世界と VR (virtual reality) の世界とどちらのほうに住んでみたいですか。
　　　　　　　せかい　　　　　　　　　　　　せかい
　□ 作家と俳優とどちらのほうになりたいですか。
　　　さっか　はいゆう

きくれんしゅう | Listening practice

1 Listen to statements 1)-3) and write them down. Use katakana and kanji where applicable. 🔊 **L10-1**

1) _____

2) _____

3) _____

2 Listen to the conversations between classmates. Each conversation will end with a beep, indicating a missing line. Then, listen to statements a, b, and c and circle the most appropriate statement for the missing line. 🔊 **L10-2**

1) a　　b　　c　　　2) a　　b　　c　　　3) a　　b　　c

3 Tom (male) and Tanaka-san (female) are talking about their favorite things. Listen to their conversation and summarize what you hear in the table below in Japanese or the common language in your class. 🔊 **L10-3**

	Hobby	Likes the most	Favorite team / restaurant	Additional information
Tom				
Tanaka				

4 John (male) is visiting Prof. Kuroda (female) in her office. Listen to their conversation and circle the choices that most accurately describe the situation. 🔊 **L10-4**

1) John asked Prof. Kuroda _____.　　　　　　a. for advice　　b. a favor　　c. for permission

2) John wants to _____ in Tokyo or Kyoto.　　a. travel　　b. study abroad　　c. do homestay

3) There are many _____ in both Tokyo and Kyoto.　　a. young people　　b. good restaurants　　c. universities

4) Prof. Kuroda thinks both Tokyo and Kyoto are good because John _____ Japanese history.

　　a. is majoring in　　　　b. is interested in　　　　c. has to study

5) Prof. Kuroda suggests that John should study in Kyoto because it has _____.

　　a. more universities　　b. famous universities　　c. a longer history

6) Prof. Kuroda told John that in Kyoto, he can _____.

　　a. go to old temples and shrines　　b. see very old buildings　　c. visit historical sites

5 challenge Listen to the dialogue **three times** as instructed in Steps 1-3. In each step, listen WITHOUT PAUSING. 🔊 **L10-5**

Step 1 Without taking notes, listen through the entire dialogue to get the whole picture. Then, write down what you remember on a sheet of paper. (You may write in the common language of your class.)

Step 2 Using the same paper, take notes while listening to the dialogue and add more information.

Step 3 Go over your notes while listening to the dialogue. Add or modify information as needed.

著者紹介

■ 岡 まゆみ • Mayumi Oka

現職　ミドルベリー日本語学校日本語大学院プログラム講師
教歴　ミシガン大学アジア言語文化学科日本語学課長
　　　プリンストン大学専任講師, コロンビア大学専任講師, 上智大学講師
著書　『中・上級者のための速読の日本語 第2版』(2013);
　　　『マルチメディア日本語基本文法ワークブック』(共著)
　　　(2018)(以上、ジャパンタイムズ出版);『上級への
　　　とびら』(2009);『きたえよう漢字力』(2010);『中
　　　級日本語を教える教師の手引き』(2011);『これで
　　　身につく文法力』(2012);『日英共通メタファー辞
　　　典』(2017);『初級日本語 とびらI』(2021);『初
　　　級日本語 とびらII』(2022);『とびらI ワークブック
　　　1』(2022);『とびらII ワークブック 1』(2023);
　　　『とびらII ワークブック 2』(2024)(以上共著、く
　　　ろしお出版);その他
その他　全米日本語教師学会理事(2007-2010)
　　　ミシガン大学 Matthews Underclass Teaching
　　　Award(2019)

■ 近藤 純子 • Junko Kondo

現職　南山大学外国人留学生別科専任語学講師
教歴　マドンナ大学講師, ミシガン大学専任講師
著書　『上級へのとびら』(2009);『きたえよう漢字力』
　　　(2010);『中級日本語を教える教師の手引き』
　　　(2011);『これで身につく文法力』(2012);『初級
　　　日本語 とびらI』(2021);『初級日本語 とびらII』
　　　(2022);『とびらI ワークブック 1』(2022);『と
　　　びらII ワークブック 1』(2023);『とびらII ワーク
　　　ブック 2』(2024)(以上共著、くろしお出版)

■ 榊原 芳美 • Yoshimi Sakakibara

現職　ミシガン大学アジア言語文化学科専任講師
教歴　ミシガン州立大学専任講師, 北海道国際交流セン
　　　ター日本語日本文化講座夏期セミナー講師
著書　『マルチメディア日本語基本文法ワークブック』
　　　(2018)(共著、ジャパンタイムズ出版);『初級日本語
　　　とびらI』(2021);『初級日本語 とびらII』(2022);
　　　『とびらI ワークブック 1』(2022);『とびらII ワー
　　　クブック 1』(2023);『とびらII ワークブック 2』
　　　(2024)(以上共著、くろしお出版)

■ 西村 裕代 • Hiroyo Nishimura

現職　イェール大学東アジア言語文学部専任講師
教歴　オバリン大学講師, オハイオ大学講師, ヴァッサー
　　　大学日本語フェロー, オレゴン大学夏期講習講師,
　　　CET Academic Program 夏期講習講師
著書　『とびらI ワークブック 1』(2022);『とびらII ワー
　　　クブック 1』(2023);『とびらII ワークブック 2』
　　　(2024)(共著、くろしお出版)

■ 筒井 通雄 • Michio Tsutsui [監修]

現職　ワシントン大学人間中心設計工学科名誉教授
教歴　コロンビア大学日本語教育夏期修士プログラム講師,
　　　ワシントン大学教授, マサチューセッツ工科大学助教
　　　授, カリフォルニア大学デービス校客員助教授
著書　『日本語基本文法辞典』(1986);『日本語文法辞典
　　　〈中級編〉』(1995);『日本語文法辞典〈上級編〉』
　　　(2008);『マルチメディア日本語基本文法ワーク
　　　ブック』(2018)(以上共著、ジャパンタイムズ出
　　　版);『上級へのとびら』(2009);『きたえよう漢字
　　　力』(2010);『中級日本語を教える教師の手引き』
　　　(2011);『これで身につく文法力』(2012);『初級
　　　日本語 とびらI』(2021);『初級日本語 とびらII』
　　　(2022);『とびらI ワークブック 1』(2022);『と
　　　びらII ワークブック 1』(2023);『とびらII ワーク
　　　ブック 2』(2024)(以上共著、くろしお出版);その
　　　他
その他　全米日本語教師学会理事 (1990-1993, 2009-
　　　2012)

制作協力

■ 校正・英語校正

平川ワイター永子（ひらかわ）（えいこ）（**Eiko Hirakawa Weyter**）
現職 フリーランス日本語教師
教歴 ミシガン大学専任講師, パデュー大学専任講師

■ 英語翻訳・校正

Robin Griffin（ロビン・グリフィン）

■ イラスト

坂木浩子
村山宇希

■ 装丁・本文デザイン

鈴木章宏

■ 編集

市川麻里子
金髙浩子

初級日本語 とびらⅠ ワークブック2
—たんご, ぶんぽう, きく
TOBIRA I: Beginning Japanese   Workbook 2
—Vocabulary, Grammar, Listening

2023年 6月23日　第1刷発行
2024年12月13日　第3刷発行

著　者 ● 岡まゆみ・近藤純子・榊原芳美・西村裕代
監　修 ● 筒井通雄
発行人 ● 岡野秀夫
発行所 ● くろしお出版
　　　　〒102-0084　東京都千代田区二番町4-3
　　　　Tel: 03-6261-2867　　　Fax: 03-6261-2879
　　　　URL: https://www.9640.jp　Email: kurosio@9640.jp
印　刷 ● シナノ印刷

■『初級日本語 とびらⅠ』の文法 • Grammar Items in *TOBIRA I: Beginning Japanese*

L1	① は [Topic marker] ② XはY{です / じゃないです} ③ の [Noun-modifying particle] "X {is/is not} Y." ④ Questions ⑤ も [Similarity particle] "too; also; (not) ~ either" ⑥ と [Noun-listing particle] "and"	**L6**	① *Te*-forms of verbs ② 〜てください [Polite command] ③ V₁てV₂ [Actions in sequence] ④ 〜ています [Action in progress; Resultant state; Habitual action] ⑤ XはYがZ [X's physical characteristics] ⑥ もう "already" and まだ "(not) yet" ⑦ X (period of time) にY (number of times / duration) [Frequency / duration]
L2	① *Masu*-forms [Polite forms of verbs] ② Case particles (1) 　2-1 を [Direct object marker] 　2-2 に [Time marker] 　2-3 に [Destination marker] 　2-4 で [Location marker] 　2-5 Word order in verb sentences ③ Verb sentence questions and answers ④ は [Topic marker] ⑤ Adverbs of frequency	**L7**	① *Te*-forms of *i*-adjectives and です ② ほしい and ほしがる "want" ③ 何か "something" and 何も〜ない "not ~ anything" ④ あげる・くれる "give"・もらう "receive" ⑤ V-*masu*たい and V-*masu*たがる "want to V" ⑥ 〜てみる "V and see; try V-ing"
L3	① Past *masu*-forms of verbs ② と [Accompaniment marker] "with" ③ は [Contrast marker] ④ が [Contrast conjunction] "but" ⑤ や [Noun-listing particle (non-exhaustive)] "and" ⑥ 〜ませんか [Invitation] and 〜ましょう [Proposition] ⑦ 〜ましょうか [Suggestion]	**L8**	① XはYがZ [Preference, skillfulness, ability] ② V-plainの [Verb nominalization] ③ Plain non-past forms of verbs, *i*-adjectives, and です ④ か [Alternative] "or" ⑤ Place に {V-*masu* / N} にV (motion) [Purpose of motion] ⑥ Casual speech ⑦ 〜ないでください [Polite prohibition] ⑧ 〜んですが [Lead-in sentence ending] ⑨ 〜てくれませんか / くださいませんか [Request] ⑩ 〜てもいい [Permission]
L4	① Demonstratives 　1-1 これ・それ・あれ・どれ 　1-2 このN・そのN・あのN・どのN ② Numbers and counters ③ Adjective + Noun ④ Adjectives and nouns used as predicates ⑤ Case particles (2) 　5-1 で [Means marker] 　5-2 から [Starting point marker] 　5-3 まで [Ending point marker]	**L9**	① Plain past forms of verbs, *i*-adjectives, and です ② 〜んです [Asking for and providing explanations] ③ Adjective / Verb そう [Impressions] ④ 〜と思う [Assumptions and opinions] "think/feel that ~" ⑤ 〜と言う [Quotations] "say that ~" ⑥ 〜たり〜たりする [Non-exhaustive listing of actions] ⑦ 〜たことがある [Experiences]
L5	① X (place) にYがあります・います[Existence] ② Location nouns ③ XというY "Y called / named / titled X" ④ 〜から [Reason conjunction] ⑤ Particle + も・は [Double particles] ⑥ XはY (place) にあります・います [Whereabouts] ⑦ Demonstrative pronouns of location ここ・そこ・あそこ・どこ ⑧ XはYがあります・います [Possession] ⑨ X (place) でY (event) があります [Event location]	**L10**	① Adverbial forms of adjectives ② {Adj(*i*)-stem く / Adj(*na*)に}なる・する；Nになる・する ③ Superlative sentences 　3-1 XはYの中で一番Adj 　3-2 Xの中でYが一番Adj 　3-3 Xの中でY Prt 一番よくVerb ④ XもYも "both X and Y; neither X nor Y" ⑤ Comparative sentences 　5-1 XはYよりAdj 　5-2 XとYと{どちら / どっち}のほうPrt {Adj / よくVerb} ⑥ 〜けれど / けど "but; however; althouh" ⑦ 〜ことができる "can V; be able to"

●文法索引は「とびら初級 WEBサイト」の「教材Ⅰ」エリアよりダウンロードできます。
A grammar index is available for download via the Learning Materials (Vol.1) section on the *TOBIRA* website.

https://tobirabeginning.9640.jp/contents1/index/